LA PRIMAVERA DEL MARS

JOSÉ ANTONIO SÁNCHEZ CETINA

CONACULTA
DIRECCIÓN GENERAL
DE PUBLICACIONES
ediciones sm

A Fabi, con amor,
o con esa palabra que todavía no se inventa
que está a punto de pronunciarse
y, aun siendo tan simple,
no alcanza a desvelarte.

A mamá, Anselmo y Luis Sánchez
porque caben en mis ojos y los llevo a todas partes.

Y a Pulques
porque si este libro llega a caer en sus manos
no me perdonaría nunca no encontrar aquí su nombre.

I don't like the drugs (but the drugs like me).

Marilyn Manson

1

HACE no muchas primaveras conocimos el mars. Fue el año chino del cerdo. El Playstation 3, que no pudimos jugar sino hasta esa Navidad, y también el primer iPhone —el de orillas redonditas y, hasta entonces, el teléfono más absurdamente caro que todos queríamos tener en nuestras bolsas— reinaban en los aparadores. También fue el último año de prepa para quién sabe cuánta gente, incluidos nosotros.

No hace falta tomar mucha distancia para ver el paisaje del desastre que era uno en esa primavera. Tampoco se puede estar seguro de estar ahora en uno distinto. *Crecer* es una palabra que, si fuerzas a alguien a explicarla sin otra ronda de palabras huecas, seguro explota. Lo que sí es posible es entrecerrar los ojos y asentir pausadamente reconociendo que se ha cometido una serie presumible de estupideces.

Hay a quienes en la prepa les regalan un carro, les sale bigote o les brota alergia por la escuela. En mi caso, se murió mi papá. Así, ¡plat! Como ocurren las cosas que no tienen mucho sentido. Una noche dejas los tenis junto a la cama, te vas a dormir y al otro día el mundo despierta exactamente igual, o casi exactamente igual, salvo por una pieza, una grande.

Heredé un montón de dudas, un odio muy concreto a las llamadas telefónicas y unas seis o siete cámaras profesionales.

No es que mamá fuera una figura poco digna de imitar, pero incluso teniendo a Robocop preparando el desayuno, reformando el Bronx, salvando al mundo y planchando las camisas, uno no encuentra inspiración en ningún lugar en momentos como ese. En el último año de prepa eliges un bloque de estudio como si escogieras un cereal en vez de otro. Y te obligan a ponerle etiquetas al mundo: los doctores, los matemáticos, los economistas, los humanistas. Sales con una tira de materias y sin saber qué tanto acabas de provocar en tu futuro, si vas al vomitivo mundo del desempleo ni si todos esos exámenes, libros, clases y cigarros de receso se convertirán, algún lunes por la mañana, en un trabajo.

En lo que resolvía todo aquello me dedicaba a ir a conciertos. Muchos. Todos. Si el rock no trabaja los lunes, de todos modos siempre había alguien haciendo cualquier otra clase de ruido en la ciudad. Mamá pensaba que tapaba la ausencia de papá con los conciertos. Tenía un poco de razón (el otro poco no: papá trabajaba dos meses fuera de casa y veinte días en el taller). Cada que la cabeza empezaba a pensar ponía música a todo volumen de por medio, y cargaba a todos lados con una mochila de cuero con una réflex y cuatro lentes dentro de ella.

Una cámara de ese tamaño —antes de que se pusiera de moda tomar fotos horribles con aparatos que no sabes usar— significaba entrada gratis a casi cualquier evento. Gabriel y yo nos formábamos siempre en la parte de atrás y, al llegar al monigote de seguridad, borrábamos la emoción de la cara con muy fingido desinterés, decíamos "Prensa" y le dábamos unas palmaditas al estuche de la cámara. Así entramos cuatro veces al Foro Sol, unas tres al Auditorio, once al José Cuervo, dos a la sala Nezahualcóyotl, once al Alicia y un montón más a foros menos pro.

Gabriel estudió conmigo desde segundo de primaria. Vivía más o menos cerca de casa, le gustaban las quesadillas de hongos con queso y compartía conmigo el modelo de familia de madre soltera, de modo que nos hicimos amigos en la rutina del mismo microbús durante un buen tiempo.

Más temprano que tarde fuimos conociendo las esferitas alrededor de lo que quienes buscan darle una importancia a lo que no la tiene llaman *escena*. Le agarramos el gusto a la cerveza una tarde de algún festival en el que por fin admitimos que no sabía tan bien como todo el mundo dice, y aprendimos a hacer anillos de humo con un australiano que nos llevó a ver una banda de polka en el Centro. También vimos otras maneras de gastar el dinero en un concierto, fumadas, inyectadas, comidas y olfateadas. Pongamos que fue poco después de que se hicieran populares las watabukalfas, y algún tiempo antes de que se conociera el Konguo2.

No es que esté en contra de las drogas. Ellas están ahí, serenas, sonriendo en su bolsita o su frasquito o su empaque correspondiente. Lo que desespera es la desesperación del practicante. Todo el mundo —corrijo, TODO EL MUNDO— cree que a) controla la cantidad de calabaza que se mete, y b) es mucho más interesante y divertido cuando está bien puesto. Desde luego, hay un porcentaje mínimo de cínicos que admiten que el supuesto *a* es delicado, pero casi forzosamente se apoyan en el *b* para la defensa del consumo. Claro, también la evangelización salvadora de redimirlos es igual o peor que la peor necedad de un jino. Admito que, si no estoy del lado del mercado que consume, tampoco estoy en el detractor de la oferta. Me daba casi lo mismo que en Ámsterdam pedalearan bicicletas voladoras con watabukalfas o que otros más se quedaran-en-el-viaje después de darle unos buenos mordiscos a un peludo waboyi bajo la luna de San Luis Potosí. Le daba importancia cero a que corrieran llantas de coche rellenas de agujeros negros estupefaciegos para el norte y para el sur. Me daba igual, pues, quién se metiera qué hasta el día en que el hermano de Gabriel llegó con una bolsita de jina. Pongamos que ahí faltaba todavía buen rato para que a todo mundo se lo llevara el carajo. Tenía que ser especialmente la jodida jina. No pudo llegar con esferitas de lanka, ni con un puño de tanarita. Me dolió el estómago de solo verla, de solo acordarme de mi papá.

2

SIEMPRE me gustaron los sencillos. Por algo son sencillos y no lados *b*. Me refiero a que, cuando alguien busca hacerse el interesante alabando una canción rarísima y pesada de cualquier banda con el argumento de que el sencillo es muy comercial, pop y poco representativo del artista en cuestión, ese alguien es un completo idiota. Los artistas se hicieron de esos golpes pegajosos y magnéticos, no de misas sin coro experimentales. A todos nos gustan, para eso están hechos. Son difíciles de hacer y, una vez que se graban, se vuelven del mundo, pegan con tubo en las orejas para convertirse en verdadero patrimonio inmaterial de la humanidad. Y después se vuelven canciones que los asquerosos fans sin talento se brincan, insultan o desconocen como lo mejor de una banda. Sencillo, tarugos: sencillos.

Cuando papá murió, o cuando le avisaron a mamá que murió, o cuando mamá vino a avisarme que papá había muerto estaba escuchando "Santeria", de Sublime. Corrí a apagar el estéreo cuando sonaba "What I really want to say, I can't define".

3

¿Y LA JINA se come, se hierve, se le pone a la birria o se unta en las orejas? Se fuma, güey, me respondió Rulo, el hermano de Gabriel, echando los ojos hacia arriba y salivando nerviosamente. Ninguno de nosotros la había probado. Creíamos haberla olido en conciertos, e incluso habíamos pasado una de esas pipas que rolan hasta que se acaban, pero nada más. Conocía poco pero detestaba mucho, porque había visto pocas drogas y muchos drogos. Que me griten intolerante, cristiano, teto, cobarde o ñoñazo, pero ya había guardado suficientes fotos de gente torcida por la jina. Babeantes, despeinados, dilatados de los ojos y de la calma, gritoneando, mordiéndose los labios. Todos jinos, todos más horribles que la jina. Y ya me había pegado suficiente lo de mi papá; no tenía la más mínima gana de ver a mis amigos en eso.

No es que hubiera yo pasado por muchas cosas, que supiera más que todos, o que muchos. Del futuro sabía nada más lo que pasaba después de un par de meses de entrarle duro. Y entiendo a los que buscan lo que hay detrás del muro. El mundo está tan descubierto, tan hecho o deshecho, tan resuelto o tan pisado que uno, a falta de dificultades reales, quiere experimentar por otros métodos la soledad, el frenesí, la comezón y el quién sabe qué va a pasar al segundo siguiente, para ver si ahí hay algo más incierto que la cochina y diminuta cotidianidad, sentir el dolorcillo y encontrarles otro color a las paredes ásperas de no ir a ninguna parte, de no crecer o de hacerlo como una planta caprichosa.

Todo el mundo habla de lo bueno, del viaje, del *poooots,* del *no mames.* A mí, incluso ahora, se me hace más un concepto. ¿Por qué es tan abstracto buscarle descripciones a las virtudes de la jina y todo el otro bonche de píldoras y calabaza, pero tan concretos los bajones, la ansiedad, las patadas que dan los momentos en que ya estás muy metido y muy jodido para salirte? Gabriel y yo les tomamos foto a manadas de fumadores de jina; al principio en un viaje más o menos feliz, bailando, luego rascando en sus bolsas buscando una pelusita más para armar, regateando por aquí y por allá, pidiendo cerillos, rascándose infinitamente la cabeza de ansiosos, torcidos, dormidos. Claro, los había los muy-muy, que se ponían serios nada más y no daban tanta pena, pero eran los menos. Y para ponerme a averiguar si mis amigos iban a ser del bando controlador o del controlado, convenía retirar las fichas y apostar en otro lado.

¿Cómo hasta la prepa nadie de nosotros le había entrado a nada? No sé. Llámenlo estadística, o afición al futbol, o una eficiente política doméstica de la chancla. Pregúntenle a alguien más. A lo mejor éramos muy fresas o muy despistados, pero hasta entonces no habíamos pasado la "barrera" del alcohol.

Poco se habla de la cara jodida de entrarle, y es aún más rara una confesión genuina de no sentí nada, o me gasté lo de dos semanas, seis discos originales y los cambios de mamá de ayer para esta cosa que no levanta la cabeza como promete. Es un concepto, repito. Un acelerador de cosas, de pensamientos. Nos pasa por ansiosos, por querer hallar respuestas a preguntas que todavía no terminamos de hacer sobre nosotros mismos, por no acabar de hacernos el contorno de las manos y la cabeza y querer correr a ser populares, queridos, respetados, tomados en cuenta. Cosa por cosa la puede sentir uno comiendo cereal, azúcar o nopales asados. De todos modos vamos a acabar con una personalidad más o menos interesante, más o menos infantil, más o menos con problemas, juiciosa y funcional como la más. Pero queremos que todo pase ya, que una canción no tarde más de cinco minutos en descargarse para escuchar un pedazo y olvidarla en alguna carpeta llamada Limbo. Manías. Las traemos de fábrica.

La búsqueda incansable del botón que accione la máquina que nos quita lo niños para hacernos ese personaje *cool,* de la vía rápida para prenderle un cerillo al aburrimiento y al trabajo consciente de amueblar el cerebro para lograr la popularidad y la aceptación. Un concepto, al fin y al cabo. Un pinche comercial. Ven y fuma, para que en el humo le tome más tiempo a la gente darse cuenta de que eres un simplón y te gustan las caricaturas. Fuma cuando te pregunten cuál es tu libro favorito. Bótales el humo en la cara a esos sabelotodo, maricones, tragalibros. ¿Qué van a saber de la vida si nunca salen de su casa después de las once? Platícame a mí, a este tubito opaco y caliente, por qué tu vida es tan jodida y cómo no dejan de fastidiar con lo que se supone que debes hacer. ¿No sabes muy bien de qué va todo esto? Yo te explico. Jálale. Y si no te explico, al menos el tiempo se va más rápido.

4

DENTRO de los sencillos, mi especialidad son los hits noventeros. Cada que papá volvía del norte con un montón de fotos por editar ponía yo el disco de los New Radicals. Me preguntó un día si era la canción del video en el centro comercial. Asentí y le mostré que, además de esa pista, había otras decentes, y hasta unas buenas. A papá y a mí nos gustaba ese disco, y a los New Radicals también.

Papá era fotógrafo documental. No sé si ya lo dije. Cuando me preguntan cómo murió se me olvida si ya dije de qué vivía. Lo suyo eran la fauna y la flora desérticas, y en vista de que el Desierto de los Leones no tiene todo lo que su nombre promete, papá tenía que pasar meses en Coahuila y Chihuahua tomando fotos para libros y revistas. Nunca platicamos sobre mi defensa a ultranza de los sencillos como las mejores canciones de cualquier banda, pero creo que él habría estado de acuerdo.

Para cuando me tocó escuchar los sencillos que más me gustaban ya habían dejado de ponerlos en la radio. Casi todos son *one hit wonders,* bandas a las que solo les dio para hacer una cosa encabronadamente buena para pasar de ser nadie a ser todo y poner a bailar a quienes ni siquiera le entienden a la letra. Por eso también detesto a los que juzgan mal los sencillos. Michael Jackson tuvo discos, y discos buenazos, pero no todos. Y no pasa nada, es normal.

¿Por qué ser tan severos con una banda que ya nos regaló un pedazo de música atemporal, nuestra? ¿Por qué no dejar descansar a los sencillos en su estuchito y sacarlos de vez en cuando como la espada del augurio que son? ¿Qué más da si después no pudieron hacer otra cosa genial? Son milagros, no sándwiches. ¿O tú has hecho alguna vez una canción millonaria que haya escuchado todo el mundo?

5

EVITAR que mis amigos se volvieran consumidores frecuentes de jina era un reto intelectual. Es muy fácil armar una defensa jipi y bravucona del exceso y la locura, pero está mucho más cabrón defender la simple postura de que no quieres que tu gente se meta en líos, que aunque no tan grandes, no es seguro que los puedas librar tan pronto.

Siendo muy franco, también lo hacía porque detesto la ficción por pertenencia. Explico esto regresando a cuando Gabriel y yo admitimos que no nos gustaba la cerveza (después ya nos gustó, y nos gustó bien, pero eso fue mucho después). Nos tomábamos varias botellas mascando chicle para disfrazarle lo amargo. Decía entonces que detesto cuando se exagera por convivir, cuando ser el más estúpido es sinónimo del más rifado. Me revienta que algo no te guste, no te pegue, no te llegue, no te ponga —llámale una canción, unos tacos o una inyección de vallilefrina— y te inventes un discurso sobre que te hace llorar, te encanta, te borra los problemas, te vuelve loco. Es insultar todo, a la canción, a un par de buenos tacos y a la trabajadísima droga.

Hay cosas más suaves, claro. La tanarita es hasta medicinal, y aunque tiene su dependencia, no ha matado a nadie y produce pocas ganas de cargarse al vecino. Es natural y hasta relajante, y no le nubló la cabeza a Marley para levantar un ejército de sencillos en el radio. Era eso lo que habíamos tenido en las manos en varios conciertos y no sabíamos qué era ni mucho menos qué hacer con ella.

La jina es otra cosa. Es el torniquete de darse en toda la madre, la carretera federal al carajo, el molcajete del cerebro. Bueno, ya. Es mala. Gabriel y yo hicimos una serie de retratos, caras que al principio eran chistosas y luego se volvieron tenebrosas. Pelos cayéndose a mechones, baba por todos lados, narices sin forma, encías verdes y con mocos, movimientos zombis.

No ando por ahí convenciendo gente. Se trataba de mis amigos. No es un discurso religioso, no soy santurrón. Eran ellos, ellos y Almendra. Nada más.

Luchar contra la curiosidad de ver la jina ahí, dormida en su bolsita en la mano de Rulo, tampoco era sencillo. Son de esas luchas contra tu terco cerebro. Le llaman *target fixation,* o algo así. Se supone que vas rapidísimo en una moto de las japonesas color naranja-megaloco, el camino se hace estrecho y miras una bifurcación para seguir a la izquierda o a la derecha. Al centro, una roca gigante, espantosa. Puedes tomar cualquiera de los dos caminos, da igual, pero no puedes darte el lujo de no girar lo suficiente o no girar en absoluto y dejar el alma en la piedra. Tanto fuerzas al cerebro a no tocar la piedra, a decidir uno de los dos caminos y no el del centro (que a todas luces, no es camino) que acabas justo haciendo lo que no querías. Sí, la roca.

Lo mismo pasó en ese momento con la jina en la cabeza de todos. Bueno, no. Los ojos de unos tenían ese aire de Quiero dejar de verte pero se trabó el control, mientras otros tenían la mirada de ¿Qué esperas para prenderles fuego a estos mongoles aburridos y a esta tarde sin crayolas que no se ve que se vaya a acabar nunca? Fijación de objetivo: la bolsita, ahora abierta, de jina, lista para colocarse en cualquier refractario chamuscable, y siete monigotes que apenas habían comprado tabaco para sus mamás con cara de quién va primero. Me seguía doliendo el estómago. Seguro estaba pensando en mi papá y su recuerdo se distorsionaba con los alaridos de tantos jinos que veíamos quedarse sin municiones, vacíos de humo y de lo que, si bien no le daba sentido a su día, lo nublaba lo suficiente.

Había que pensar rápido, y casi siempre que piensas rápido no sales con la mejor propuesta del mundo. Cuando Marlene (con la *e* pronunciada y todo) encontró a su entonces novio, Gabriel —llamémosle Gabriel, el Mente Lenta— en pleno beso escaneador de caries afuera de su casa, al bueno de Gabo se le armó severa. Poco astuto, como suele ser cuando se le pide pensar a velocidad campeón de ajedrez, fingió estar poseído por un espíritu chiapaneco que lo obligaba a atascarse con la jovencita en discordia. Lo peor no fue la chafísima historia, sino la blanda defensa que opuso la cabeza de Marlene para comprarle el argumento. El asunto acabó muchos meses después en los que Gabriel y la ahora cristiana novia ingenua hicieron alabanza con montones de otros alabadores pidiendo por la erradicación de la calentura de Gabriel. Cuando los métodos más jubilosos de cantarle en el templo no dieron resultado —el espíritu seguía en posesión del muchacho, obligándolo a besuquear nuevos ejemplares de jovencita— y la iglesia entera programó para él un exorcismo grande, videograbado, lleno de cuerdas, azotes y apertura de panza para que se escapara el chiapaneco por ahí, Gabriel entendió que pensar rápido no siempre produce los mejores resultados.

Lo mejor que tuve en treinta segundos fue decirles que la jina ya no tenía onda. Que se acordaran de todos esos zombis con la cara apretada y balbuceando. Por consiguiente, y ante la mirada incrédula de los otros seis, tenía que colocar el sustantivo de lo nuevo con onda que hubiese derrocado la antigua onda. Para comprarme unos minutos, seguí con un todavía más estúpido Ahora verán lo que traigo de mi casa. Por alguna razón, decidieron postergar la quemazón de jina para ver lo que yo podía bajar. Caminando a la casa comencé a pensar en qué podía llevar que no fuera peor que la jina y que fuera mejor que un salero, cuando oí un Yo voy contigo. Habría supuesto una mayor dificultad en mi búsqueda si hubiera venido de cualquiera, pero viniendo de Almendra derretía la calle, la casa, el mundo y todo el todo junto.

Sin decir palabra la dejé acompañarme. Mientras subíamos las escaleras me preguntó en qué andaba metido. Como seguía en el modo de pensamiento rápido, le contesté un nerviosísimo En nada, ahorita ves. Hice un recorrido mental de mi casa y no encontré polvo, liquidito o masa que me ayudara a salir del paso. Pasé de largo la entrada y subí dos pisos más las escaleras. En la azotea, frente a la puerta del taller de papá, Almendra me echó una mirada de esas que tenía ella (una común, desde luego, quizá con mínima curiosidad, pero centuplicada por una imaginación enamoradiza mía). Almendra acompañándome a buscar algo mejor que la jina en la azotea. *Target fixation,* te digo. No había nada en mi cabeza, ni siquiera un Busca algo decente de inmediato, pedazo de inútil, que les prometiste a los otros vagos bajar con algo que les vuele la cabeza. Estaba Almendra, ni siquiera yo, ni el taller. Para este momento no hay que explicar que Almendra me gustaba más que todos los sencillos producidos en los noventa.

6

HAZ de cuenta, los Beatles. ¿Qué son? El Barcelona de los sencillos. En estos tiempos juiciosos, ir contra los Beatles es como hundir cien barcos petroleros en el Pacífico sobre foquitas golpeadas con bates de béisbol que además deben cargar los barriles de crudo. Pero hasta los más clavados respetan y tienen en buen concepto a "Daytripper" o "Hey Jude". Una vez me pasé con un desconocido toda una fiesta y dieciséis cervezas en la sala de quién sabe quién discutiendo. "Eleanor Rigby", sencillo. "Something", sencillo. "Get back", sencillo. Una máquina, nada más. Después nos enfrascamos en la discusión ¿Qué hace a una canción un sencillo?, y más tarde pasamos a la más lamentable ¿Qué es una canción? En algún punto afortunado del callejón sin salida que era esa plática, el desconocido fue por otra cerveza, y al no poder destaparla reconoció no estar en condiciones de discutir nada. Detuvo la lucha contra la corcholata y salió de la fiesta sin decir nada.

7

OYE, yo no quiero, la neta. Una frasecita semiaguda y severa en el aire viciado del taller. Una cara seria hacia este yo que le daba la espalda buscando quién sabe qué cosa. Ni jina ni lo que trajera. Nunca pensé que te metieras algo, Joaquín, te ves muy sano. ¿Era cumplido? Ahora tenía dos tareas: 1) buscar algo que tuviera cara de que se pudiera comer o fumar, con posibilidad de ponerse un viaje de No seas loco, pero inofensiva como el queso panela, y 2) explicarle a Almendra que, en realidad, de la cerveza no pasaba, y solo buscaba completar la tarea 1 para que los demás mongoloides no se clavaran con algo que después no sabrían parar.

Esa covacha de madera y tejas olía a sol, polvo y todavía a algunos químicos para revelar que papá usaba cuando se quería sentir más *old school.* Había fotos regadas por aquí y por allá en ese cuarto con foco amarillo poco potente: plantas peludas altas, enanas y gordas, una que otra víbora, dunas y más dunas. Y Almendra detrás de mí y yo detrás de la mesa. Ella debajo del foco que apenas alumbraba pero hacía que brillaran sus mechas californianas en ese pelo que parecía siempre tener vida y estar bailando alguna buena música en su espalda. Si bajaba algún frasco de alguna sustancia para revelar podía acabar metiéndoles una buena intoxicada. ¿Estarían ya prendiendo la jina mientras nosotros estábamos en la azotea? Contéstame, Joaquín. ¿Desde cuándo le hago a esto? ¿Qué busco? Desde nunca y, francamente, no tenía idea.

Revolvía botes y charolas y pensaba un poco en papá y en cómo todavía el cuarto olía mucho a él. Casi en el rincón del cuarto, debajo de una vieja gotera, una montaña mediana brillaba como las mechas de Almendra. Ya, Joaco, dime qué traes. Ni modo, eso o nada. Tomé un botecito negro y saqué el rollo que tenía dentro. Almendra volteaba hacia la puerta, entre nerviosa y desesperada. Me agaché y usé el bote como una cuchara sobre una arena muy delgada y rojiza. Le di una olfateada muy rápido. Olía a frío. No sé cómo explicarlo menos torpemente. Después comprobaríamos que también sabía a frío y a eso sonaba. Me di la vuelta, y al tenerla de frente, levantando el botecito negro como un chimpancé con un dominico en la mano me vino de nuevo la plena conciencia de tenerla de frente. La miré mientras tartamudeaba alguna cosa. Sus ojos me miraban curiosos y molestos. Lo único que mis nervios permitieron registrar fue que ella estaba un poco asustada con el asunto de la jina, de modo que no iba a ser la Almendra intempestiva a la que tuve que llevar a su casa con ese pelo revoloteando en la noche y en sus frases muy borrachas e incomprensibles después de la boda de su hermana. Iba a ser una Almendra más Ten cuidado, que eso es peor que cien caguamas. Agitaba el botecito tapado como si con eso le explicara el significado de todas las cosas. ¿Qué es eso, Joaco?

Era el momento. O la hacía parte de eso —y de paso intentaba hacerla un poquito más parte mía— o le vendía el polvo nuevo a ella también. Cerré los ojos para al menos ayudarle un poco a mi aletargado cerebro, y no tuve más dudas. Mira, Rita, yo no sé si tú tengas muchas ganas de probar la jina, pero los zoquetes de aquí abajo ya son lo suficientemente lentos como para que se acaben de zombificar. Sí, ya te entendí. Y era cierto. ¡Bum! Así, sin más. Como pasan ese tipo de cosas. Me sonrió con esa boca que decía estoy contenta y tranquila a la vez. No había que explicarle nada. Para mí era una señal clarísima de que teníamos que estar juntos, o mínimo besarnos ahí un rato y después ver qué pasaba. Pero no, Almendra nada más sonrió y me dio un abrazo cómplice. Ahora había que ver qué les inventábamos para que probaran esa cosa y se olvidaran un rato de la jina. Yo pensaba en su abrazo, en lo bien que olía y en su pelo bailando electro francés.

8

ME CUESTA mucho trabajo acordarme de mí. Me explico: no tengo tantos recuerdos de cuando era pequeño. Son más bien momentos cortados con sonido de poca calidad, sin contexto que los explique.

Lo recuerdo nada más con la barba oscura y una cámara enorme tomándome fotos, sonriéndome, haciéndome ruidos como de zorro o de salamandra. Muchos clics de cámara y de nuevo flashes llenando de pura luz partes que ya no recuerdo.

Por otro lado, recuerdo perfectamente a mamá con su blusa lila entrando en mi cuarto con esa cara que se usa muy pocas veces. Recuerdo el olor a verdolagas recalentadas con carne de cerdo, y que sonaba mi canción favorita de Sublime (es, por mucho, mi canción favorita en el mundo, aunque reviviera John Lennon y se pusiera a trabajar). Quise correr al estéreo para apagarlo y no encadenar la canción a un momento terrible, o para no regresar al momento terrible cada que sonara la canción. Mamá todavía tenía el teléfono en la mano y lo sujetaba como se sujetan los calcetines más sucios, como se agarran las granadas de fragmentación. Por más que echo de menos mi canción favorita, no he vuelto a escuchar a Sublime.

9

La imaginación no es siempre una virtud. Es decir, no debe defenderse a ultranza porque también tiene sus malos ratos, sus domingos, sus tarugadas. Prueba de ello son los apodos. Los hay muy creativos. Incluso creo que hay gente que ahí debió aferrarse a un oficio ingenioso, pero hay otros que, si bien no son malos, uno acaba sin saber de dónde salieron. Si te salvas del juicio simplón de la apariencia, es decir, si pasas el pantano oscuro de la primaria sin ser el Gordo, el Enano, el Bizco, el Pelos, la Manotas o el Miniño, al menos alcanzas el honor de que alguien se esfuerce más por tus rasgos de personalidad o tu nombre para llamarte de un modo menos afectivo. Como *Joaquín* es un nombre muy formal para el trato cotidiano, alguien tuvo a bien cambiarlo por *Joaco,* informal pero buena onda —o al menos mejor que el siguiente—, y después el no tan elegante *Joacaca.* Sus derivaciones me duraron toda la primaria y la secundaria. Todavía en la prepa había quien me llamaba *Joacareada.*

Papá era conocido en algunas revistas y con sus amigos por su apellido. Estaba seguro, creo yo, de que a mí también todo el mundo me diría Hey, Papaqui, trae tu cámara para acá. Pero se equivocó. También se equivocó cuando imaginaba una muerte distinta a la que un grupo de jinos le propinaría. Quizá nunca se imaginó su muerte, pero quién puede culparlo.

Almendra corrió con mejor suerte en los apodos. Pasaron años en los que todo el mundo le decía Almendrita, hasta la maestra que a todos nos jalaba el pelo, incluso su pelo, ese pelito que, supongo, desde siempre ha tenido vida y ha bailado quién sabe qué cosas. Como Almendrita era muy largo y por demás lerdo, un austero Drita lo suplió por un lapso breve para dar paso a Rita, por refinación, que nada tiene que ver con Almendra, pero con el cual es conocida por casi todos sus primos. A veces responde por su apodo y no por su nombre.

10

BAJÁBAMOS las escaleras de vuelta al zaguán de casa de Gabriel. Había que hacerle un concepto a esta cosa muy rápido: son curiosos pero no tan borregos. Tenía de mi lado a Almendra, y ella quería pensar menos las cosas. Ya sé, llegamos, destapamos el bote y le doy una aspirada así, sin decirles nada. No, Almendra, espérate. ¿Cómo decirle que estaba planteando una tontería? ¿Alguna vez has corregido a la chica que te gusta? Eso si cruzas palabra con ella. ¿Ves? No sé bien qué sea la cosa esa y te puede hacer daño. Sí, pero la nariz lo filtra. O tal vez la panza sea un poco más segura, por los ácidos y eso. ¿No es mejor que pensemos de dónde la sacamos y cómo se llama? Ay, cálmate, Joaco. Lo único que quieren es atascarse, ¿qué te van a andar preguntando?

Órale. Se tardaron un chorro. Para mí que aprovecharon que no está la mamá del joacamaya. De inmediato miré hacia el piso con la pena de quien de eso pide su limosna. Un cortante y seco Idiota en voz de Almendra me hizo subir la vista. A ver, ¿qué traía? Ella extendió el bote cilíndrico, lo destapó con cuidado frente a todos y un polvo guinda brillaba con la luz del poste. ¿Y eso qué es, quién te lo dio? Cruzamos miradas y diálogo mental. Te lo dije. Ay, bueno, yo qué iba a saber. Ahora, ¿qué hacemos? Espera. Ya, me la como y ya. No, aguanta.

Ponerle nombre a tu droga de diseño no es tan sencillo como parece. Especialmente cuando no eres el químico que la sacó del laboratorio y no tienes idea de qué carajo traes en la mano. Así, justificar un K3200, por ejemplo, es más difícil, por muy ansioso que sea el auditorio. Un nombre demasiado sencillo o infantil podría delatarme y tirar todo el plan a la basura. Descartados: *miguelito ponedor, brillantina, caspa de King Kong,* y *vómito de Dios.*

Tenía que ser simple, corto y liviano, llamativo pero no muy exótico. *Mars.* ¿Así, nada más? Al hermano de Gabriel y su bolsita de jina se le hacía poca cosa el nombre. Pues ¿qué más querías? ¿Caspa de King Kong? Así, mars. ¿Y cómo se le pega? ¿Quién te la dio? ¿Que si ya la probé? Joaco no, pero yo sí, respondía Almendra, potente como la luz que se abre paso entre gigantes cobijas negras. El mars es lo que quieras que sea y lo que quieras que pase, pero tienes que prepararlo bien. Se calentaba primero, ¿verdad? No, tonto. El mars no es como la calitrofina ni el wasp. Era una cosa más, cómo decirlo, sofisticada, mejor hecha, con otros procesos.

Al poco rato estábamos en casa de Gabriel, unas tres horas antes de que su mamá llegara del trabajo y unos varios meses antes de que la cosa se pusiera perra. Seguimos el procedimiento que Almendra improvisaba con mucha seguridad. Tienes que poner en un papel aluminio dos rebanadas de pan blanco Bimbo. Encima va el polvo, cubriendo bien el pan pero sin atascarlo. No se pone entre los panes, no es sándwich. Así como los tienes, pan sobre pan y encima de ellos el mars, los envuelves con cuidado en aluminio. Ya, Gabriel, prende el estéreo. Se veía sacado de onda por el procedimiento, un poco con cara de confundido, y otro poco con la cara que puso cuando tuvo que tomarse todo un tarro de cerveza en el Chopo por primera vez, cuando más amarga le supo.

11

HAY libros como sencillos, creo. No tiene que ver con que sean ligeritos o tabiques ni con que se hayan vendido mucho o poco. Es incluso tan relativo como con quién te juntas. Edgar Allan Poe era como Michael Jackson para unos, y *Rayuela,* de Cortázar como el *Under the bridge,* de los Chili Peppers para otros más. Por eso te digo que no tiene nada que ver con cuántos Sanborns venden el libro ni qué tan bonita está la portada. Prestar libros es una de las cosas más útiles que puede hacer alguien por otro alguien. También es una de las más estúpidas que el primer alguien puede hacer. Porque, generalmente, prestas un libro bueno, o al menos uno que te gusta, un buen sencillo. Y entonces el alguien número dos lo lee, en el mejor de los casos, y te agradece habérselo prestado y te dice qué pasajes le pegaron duro, o al menos te dice que está bueno y nada más sin confesar que le pareció aburridísimo. En el escenario más ingrato lo avienta en algún buró o en una pila de cosas absolutamente susceptibles de olvidar. Los dos caminos llevan al callejón de no devolvértelo nunca, bajo cualquier pretexto y sin importar qué tan agresiva sea la campaña por recuperarlo. Pasa casi lo mismo con los discos, pero existen salvaciones cuando el alguien número dos amablemente lo copia a su computadora y lo devuelve al alguien número uno como si fuese un boomerang. Tampoco es tan grave cuando el alguien número uno fue precavido e hizo el paso antes mencionado. Le presté *Pilotos infernales* a Rulo y no regresó, como tampoco regresó su canario cuando quiso probar que era igual de obediente que un perro. Tanto Rulo como yo somos, de algún modo, el estúpido alguien número uno (pero no creas que el canario liberado era un alguien número dos).

12

VAS, Gabriel. Voltea la bocina y prende el estéreo. ¿Ya había puesto el disco? No, es que solo la traía en USB. ¿Hay bronca? Uf, pues es que el disco tiene mil veces más calidad que el archivo que bajaste, porque ni siquiera es wav, ¿verdad? Almendra no solo era amante del rock en español, sino también una obsesiva de la máxima fidelidad para escuchar cualquier cosa. A todos nos borró carpetas y más carpetas bien bajadas de los Ramones y Nofx, porque estaban a ciento veintiocho, lo que sea que eso signifique, pero subiéndoles el volumen sonaban tan punk como si salieran de un vinil. Pero ¿es más como la tana o como la jina, Joacas? Rulo no tenía idea ni de una ni de la otra, pero su bolsita de jina le quemaba como el anillo a Frodo.

Ponla así, Gabo, ya ni modo. Si no resulta, conste que es por eso. Ecualízala como te dije. Se le quedó mirando al estéreo buscándole un foco que le dijera exactamente lo que había que hacer, sosteniendo la perilla gigante del volumen como si de ahí se sostuviera el mundo. A ver, hazte a un lado, inútil. Almendra apretó dos botones y les subió a los graves, puso menos uno a los medios y quitó todos los agudos. ¿Qué se siente, Rita? ¿Pega luego, luego? Ay, ya espérate, Rulo, que se va a echar a perder por tu culpa, y para nada es igual de barata que la jina.

Se compraba tiempo para seguir inventándole una historia al polvo y de vez en cuando me echaba una mirada cómplice que yo interpretaba como un Estamos juntos, en esto, Joaco, por fin, pero muy probablemente era más como Necesito que conectes el cerebro con la boca ahora mismo, inútil. Recorrió diez o doce pistas hasta que la encontró. Puso el papel aluminio encima de la reja oscura de la bocina con mucho cuidado, deslizando sus dedos como si el cuadro metálico fuese una tortilla. Sonaron cuatro golpes graves que marcan el principio de "Crazy", de Gnarls Barkley.

Almendra subió el volumen hasta que la perilla tocó el límite. Apenas se entendía la canción por debajo de aquel sonido sordo que acompañaba el palpitar de la bocina. Todos nos encogimos de hombros y entrecerramos los ojos esperando que terminara, mientras Rita movía los labios repitiendo "I remember when, I remember, I remember when I lost my mind".

Sonaron otros tres golpes, pero esta vez en la puerta. Lucy, amiga de la mamá de Gabriel, también había participado en cierto modo del experimento y no esperó a que abrieran la puerta para emitir su amable invitación a bajar el volumen. Par de escuincles escandalosos, o le paran a su desmadre ahorita mismo o le llamo a su mamá para que se los ponga parejos. Parecen microbús con ese ruidero. Me van a tronar los vidrios y entonces sí me van a conocer. Sí, Lucy, perdón, tartamudeó Gabriel, como siempre que está nervioso. Se dio cuenta de que Lucy no iba a cambiar mucho sus modales. Es que estaba mal el radio pero ya lo arreglamos, no te preocupes. Están mal ustedes: creen que viven en la montaña. Respeten. Sí, Lucy, buenas noches.

Nadie esperó la disculpa de Gabriel para destapar el paquete. No había pasado casi nada. Los panes estaban intactos pero el polvo se había recorrido casi todo al centro del pan. ¿Segura de que era así? No se derritió ni nada. ¿Y cómo querías que se derritiera, tarado, si lo pusimos en el estéreo, no en la estufa? Bueno, pues es que casi a todo había que ponerle calor para luego fumárselo. Rulo no era precisamente el más inteligente del grupo. Pues esto no se fuma, ahora verás. Se le pone así para que cambie su polaridad con la frecuencia grave y las partículas del polvo se exciten poniéndose en sintonía con lo que queremos gracias a la conducción del papel aluminio. Después de lo de las partículas excitadas, no estoy seguro de que haya dicho todo lo demás exactamente así. Nos reímos como niños que oyen hablar de sexo por primera vez.

13

UNA vez papá invitó a la casa a un amigo y colega suyo. Me pidió que pusiera música, y como vi que iba para largo, dejé una memoria llena de la discografía de los Beatles. Salí a la cocina un par de veces y los oí discutir sobre quién era el genio del grupo. Por alguna razón, el amigo de papá hablaba de George Harrison como si fuera su abuelo y parecía molestarse cuando papá decía que había dos genios ahí dentro y otros dos muchachos con mucha suerte. El amigo soltó una carcajada y le contestó que al menos habían tenido mejor fortuna que John. Los dos rieron y luego cambiaron de tema. Muy en el fondo, detrás de su risa y el humo flotaba "While my guitar gently weeps".

Papá pertenecía al grupo de los dos genios sin tanta suerte. No porque fuese un virtuoso haciendo sencillos, sino porque una camioneta Ford Ranger del 93 partió a la mitad el coche de papá. Los cinco que iban en ella habían tenido mejor fortuna: sobrevivieron, a pesar de sus heridas graves, no como el conductor del auto rojo, al que encontraron sin brazo derecho. Lo que sí encontraron fue jina en los que sobrevivieron. Jina como si se hubieran fumado toda la del mundo. Pregunté a quien pude si podía saberse si el coche de papá tenía el estéreo prendido en el momento del choque. Lo único que tuve de respuesta fue que los cinco sujetos viajaban de Pistolas a Chihuahua.

Papá cargaba siempre con memorias como si le hubiesen dicho que iba a tomarle fotos al fin del mundo y que el fin del mundo iba a durar dos meses. Además, si quería hacerse de más municiones para sus cámaras, lo sensato habría sido dormir en Chihuahua y esperar al otro día para comprar en la ciudad. No tenía mucho sentido manejar por la noche hasta Pistolas Meneses, pero tenía todavía menos sentido manejar con el radio apagado.

14

¿Y AHORA? Shhh, vas a quitarle lo alterado al mars. ¿Traigo una cuchara? ¿Unas cáscaras de plátano? Que te calles, Rulo. Los demás: sí. Estábamos Almendra, y luego yo, Gabriel y Rulo. Estaban también Memo y Pablo, a quienes en lo sucesivo se les llamará Los demás, a menos, claro, que suceda algo destacado con este par, pero no hay por qué emocionarse mucho. Almendra sostenía el preparado de panes con la mancha de polvo rojizo al centro en un círculo perfecto y suave, como duna de desierto. Me volteó a ver y entendí que estaba linda, muy linda, y también seca de ideas. Ya estaba listo, Rulo, nada más que no hiciera ruido, porque lo sacaba del estado en el que lo pusimos. El chiste del mars es que no se perturbe de lo que ya le hiciste. Algunas cosas reaccionan con fuego o con agua. Este, con las vibraciones. No sé si tenga otros efectos con otras canciones, pero a Rita y a mí nos funcionó con la que nos dijeron. ¿Ya la probaron? Obvio. ¿Y por qué ustedes? Pinche Joaco, quieres drogarla para darle sus besos. Que te calles, idiota. Almendra con la cara roja y la voz bajita le daba coherencia a lo que inventamos. Entonces, ya así en silencio, ¿se come? ¿Con todo y pan Bimbo? Shhhh.

No se come. Almendra me miró pensando que tenía que salir con algo muy bueno si ya había cancelado las opciones de fumarlo y comérselo. Yo buscaba reducir el riesgo de matar a los demás ineptos haciéndoles comer lo que ni nosotros sabíamos qué era. Se llaman sustancias visuales, Rulo. Tenía que escoger muy bien mis palabras para continuar con esto, aunque los susurros le daban un poquito de profesionalismo a cualquier cosa que dijera. En su estado natural no producen nada. Puedes pasar trillones de veces junto a ellas sin darte cuenta. Podrían hacer un especial de MTV con treinta y dos horas de la sustancia en pasivo; nada pasaría. Estábamos todos en cuclillas alrededor de la bocina. Tomé con una mano el aluminio y lo puse a la altura de nuestros ojos, como si viéramos el mar de colores raros de Acapulco. Pero cuando logras poner en sintonía la sustancia, ya sea el mars o cualquier otra de las visuales, basta con empezar la dosis, mirando al ras de la superficie la forma del polvo y dejando que entre poco a poco. ¿El polvo? ¿El polvo se mete? ¿Se mete solito o uno lo va acercando con el dedo? Rulo nunca ha dejado de ser un ansioso, y a veces, un desesperante imbécil, una pieza fundamental en el grupo.

Es más complejo que eso, Rulas. Almendra me relevó. Intuyo que le costó trabajo seguirle una vez que me fui a lo grande con eso de las sustancias visuales. La jina, el wasp y la tanarita tienen efectos químicos dentro del cuerpo y, solo después, otros neuronales, que son los que te hacen ser más o menos el idiota que eres todos los días. El mars fue diseñado para no dejar rastros biológicos en el consumidor ni repercusiones físicas. Se conecta directo y sin escalas con el cerebro. Carajo, cómo me gustaba Almendra y su manera de hablar. La miras, como un dibujo súper elaborado. En Japón hay unas gotas que te pones en los ojos y no las procesa ni tu panza ni el hígado ni nada. ¡Pum, directo al cerebro! Las glandulitas que te hacen llorar absorben las gotas. Bueno, pero eso lo hicieron en Japón hace como diez años. Luego salieron las caricaturas que daban epilepsia y a un japo sin quehacer se le ocurrió mezclar las dos cosas. Para que no tuviera que pasar ni por esas glandulitas, lo mejor era pegarle directo al cerebro. Sí, por los ojos, Rula. Ya vas agarrando la idea. Intenta agarrarle el chiste, como si fueras al museo y te le quedaras viendo a uno de esos cuadros gigantes que tienen un bloque de color amarillo, otro naranja y otro más amarillo. No te preocupes, no hay que estudiar nada. Cállate, mírala y siéntela.

Todos nos quedamos callados, mirando. Rita siguió. El mars es lo que tú quieras. Les llaman Sustancias Potenciadoras Estimulantes de Rápida Catarsis Calórica (o SUPERCACA). Nadie dijo nada. El polvo estaba ahí, puesto, excitado, reaccionando totalmente a los bajos de Gnarls Barkley. La bolsita de jina seguramente maldecía mil doscientas veces la imaginación de Rita. Ella siguió, como te guían las maestras de yoga después de que te tiras un pedo en la primera sesión y deseas que baje san Miguel Arcángel a agarrarte de la cola en posición vaca y te libre para siempre del más vergonzoso momento posible. Así la voz de Almendra, almendrosa, de aceite almendroso, suave al tacto con los oídos. Persuasiva ante esas orejas tan expuestas al house, al power pop, a los regaños de todas las madres. Nos llevó de este mundo al mars. Piensa en lo que quieras, o también en lo que no quieras. Es más, no pidas nada durante un rato. Reconócete nadando en ese polvo rojo. Ten cuidado de no ahogarte. Nadie había cerrado los ojos. No hacía falta. Piensa que el polvo es el todo, y como es el todo puede ser cualquier cosa. Dale forma de plantas o de coches y cohetes o del concierto de The Rapture. Deja que todo se inunde de mars y que hasta lo que estoy diciendo pase por encima sin contaminar el polvo para volverse más polvo en todos lados. Ahora cámbiale el color y la textura, y el olor a frío que tiene por lo que tú quieras. Yo ya estoy.

15

PUEDES pensar lo que quieras, pero no me vas a decir que nunca te sorprendiste tarareando un sencillo. Hay unos tan potentes que son efectivísimos. Puede ser la banda que más detestas, incluso la que más detesta el mundo. Pongamos, Maná. Pero hay un equipo de psicólogos, sociólogos y psicópatas trabajando meses en un corito que se propague como varicela. Desde luego, eso debe ir acompañado de una dosis muy alta de la canción en todos lados, para que pegue bien. Si lo piensas bien, esas canciones son peores que las drogas, y además son legales. Abusan de la nobleza de un sencillo y lo perjudican, le crean mala fama. La gente odia tanto los sencillos porque son el arma más letal de los sin-talento: un grupo de monigotes con el pelo bien cortado que te hacen creer que toda nariz que no sea como la de ellos es mala, incapaces de hilar dos oraciones, ya no digas rimadas, probablemente más capacitados para el baile en línea que para el contrapunto en el sintetizador. Detrás de ellos están los cientifiquillos de los que ya te conté, haciéndoles frases chiclosas, potentes, cotidianas, y ritmos de lo que sea que venga en oleadas sonando fresco. Por eso los sencillos son tan desdeñados. Porque se forman en la fila de las canciones pop, pero son del pop malvado, del que solo quiere engatusarte para que compres los boletos de un concierto para que lo olvides al año siguiente. Hubo pop del bueno, y lo seguirá habiendo, pero la línea es delgada, los intereses son muchos y las disqueras son enormes. Uno piensa que estaba Michael Jackson en un piano con su pantalón de brillantitos sentado en un rincón, quitándose el guante para tocar y componiendo una bestialidad. Y a lo mejor sí, pero después se metió a la máquina de hacer dinero, aunque no dejó de hacer ese pop que reivindica toda la basura que se produce hoy.

Papá decía que, en el ideal, uno debería tomarle unas treinta fotos casi iguales al objeto, nave o animal que uno quisiera capturar. De la serie de imágenes parecidísimas, si corrías con suerte una te había encontrado en la exposición de luz adecuada, con el dedo bien puesto y en el momento del día o la noche correcto, pero muchas otras veces hacías treinta tomas inservibles. Una lástima cuando no existía la foto digital, repetía papá mirando el monitor en su taller. Lo mismo pasa con las canciones. Los sencillos, los verdaderos sencillos, como casi todas las cosas que valen la pena —como las sudaderas que te quedan a la medida y están muy bien en la montaña de ropa chafísima del mercado— se encuentran una vez que pusiste a un lado montañas de baratijas. Te digo, peor que otras drogas, y muchísimo más producidas.

16

NO TIENES que decir nada. Es lo mejor del mars. Piensa en lo que quieras sin importar qué tan teto o raro sea. Nadie más lo ve, y no tienes que platicarle a nadie. Siente cómo el polvo ocupa las paredes y entonces haz que sean lo que tú quieras. La respiración de todos, y lo frío que se sentía el mars es de las pocas cosas de las que me acuerdo. El primero en decir palabra fue Rulo, claro. Yo estaba ensimismado en la montañita roja y en la voz de Almendra. Lo ocupaba, en serio, todo, y me dejaba llevar como cuando dejas en internet que un video te lleve a uno y luego a otro sin poder recordar cómo llegaste.

Ya, ya, no mames. Sí es cierto. Qué loco, qué cabrona está esta cosa. Ya no digas nada, Rita, que me arruinas el viaje. Los demás secundaron a Rulo diciendo casi lo mismo. Sí, sí, ya estoy. Me puso, ¿la sigo viendo o ya no? Como tú quieras. Escuché a Almendra en toda mi cabeza, zumbando como cuando tocan en el Palacio de los Deportes, pero clarito, potente. Rulo pelaba los dientes como si se hubiera enchilado. Quise reírme de cómo se podía inventar una reacción tan chafa hasta que empecé a dudar de que Rulo estuviera fingiendo. Empezó a arrugar la nariz como rata, pero seguía pelando los dientes. Ya estoy, yo ya estoy, insistía el hombre rata.

Gabriel estuvo a punto de poner en riesgo todo cuando sacó lo del acuerdo que teníamos él y yo de no fingir que la fiesta estaba buena cuando estaban los papás del dueño de la casa en la cocina, pero Rita le contestó fría como el mars y contundente. Ay, cállate, Gabo. Seguro te dio miedo a la mitad del camino y cerraste los ojos antes de que te entrara. Déjanos a los demás si tú no pudiste. Gabo arrugó los ojos, humillado. Sentí en el pecho un golpe fuerte, como cuando alguien deja su celular en una mesa y tú sabes que tienes que devolvérselo pero te das cuenta de que es el que tiene cámara de doce mega pixeles y le cabe un montón de música, pero no dije nada para defender al Gabo. Sentí su mirada herida sobre mí y me metí aún más en la montaña de polvo y en la voz de Rita. Ahí dentro, casi no sentía la mirada de Gabriel pateándome las costillas. Rulo y los demás, que se habían unido al gremio de los hombres rata con los dientes salidos, seguían en el gesto que los hacía tribu y haciendo sonidos leves como si estuvieran soñando algo muy clavado.

La alarma del Pointer de la mamá de Rulo en el estacionamiento nos sacó del trance a todos. Sacudimos la cabeza y nos miramos muy deprisa. Almendra me arrebató el arreglo de los panes y el polvo y lo metió en una bolsa. Me levanté y sentí dolor en las piernas por haber estado largo rato agachado. Gabo puso la bocina en su lugar y Rulo se levantó despacio y, sin decir más, se metió en el cuarto. Buenas noches, señora Mary. Buenas noches, muchachos. ¿Compraste el huevo, Gabo? ¿Cómo que se te olvidó? Es que se la pasan vagando ustedes, papando moscas. Ahí andaba, sobándose la espalda para que no les faltara nada y no podían ni comprar despensa. O que le dijeran, ¿les faltaba algo? Gabriel, cabeza agachada, respondía solemne. No, ma', perdón. Ahorita voy. Todavía le dolía lo que le había dicho Rita. Tenía razón. Tuvo miedo de quedarse mirando y ponerse con el mars. Rulo también le había caído a insultos, le había dicho lo marica que le resultaba. Pero eso era lo de menos. No tenía que decir nada para que yo supiera lo sorprendido que estaba porque me dejé llevar como todos. Le había escupido en la cara a mi mejor amigo, a nuestro código de no hacernos los bien acá nada más por moda. Él, seguro, le echaba la culpa de todo a Almendra. Tenía un poco de razón, pero el otro poco era el intento de para salvarles los sesos a los demás inútiles, a cambio de la confianza de Gabo. Lastimar a uno para rescatar a todos. Ya sé lo que siente, pinche Spider-Man.

17

CONVIVÍAMOS poco, pero bien. Mamá todo el tiempo trataba de suavizarme algún posible trauma por la ausencia de papá cuando solo se iba semanas al desierto. Yo le decía que estaba bien, y en verdad lo estaba. Ninguno de esos intentos vino después de que murió, donde entonces sí que había ausencia. Yo me sentía conectado con él. Incluso ahora. A los dos nos gusta la sopa de pasta, todo el disco de los New Radicals, los tacos fuera de la plaza de toros, preferimos mucho más el frío que el calor. Cuando le preguntaba cómo se iba al desierto si le molestaba tanto el sol me decía que, en el día, pensaba en la foto como un trabajo en el que tienes que cumplir ciertas horas, aunque no te guste. Por la noche, con una buena chamarra, salía a disfrutar lo que más le gustaba. Ver el cielo casi completamente negro y tomarles fotos a las sombras. La chamba es chamba, Joaco. Tiene sus asegunes. Por eso pagan.

Su hermano era músico versátil. Lo llegué a ver tocar en una que otra boda. Era de esos bajistas a los que les encanta tocar las mismas cumbias una y otra vez. A lo mejor no, y el hecho de que pareciera que sí era su gran virtud. Papá había elegido otra de las profesiones a las que el abuelo, según mi propio padre, tenía a bien llamar *de jipis.* Dentro de su prejuicio, no les prohibió nada y trabajó duro en el torno. Y, como las piezas que hace uno en el torno, se fue desgastando. Aunque papá no estaba tan metido en la música, siempre quería tener buen fondo para estar en la mesa o para editar. Casi siempre hablaba en la mesa, pero cuando editaba o reparaba sus cámaras tarareaba la batería de las canciones de Chicago o silbaba los estribillos de la voz bien pulida del Pirulí. Se sabía pocas letras, pero un montón de melodías y remates de tambores. Le ayudé a escoger un estéreo que no desentonara mucho con los interiores originales de la Caribe roja que tanto quería. Se opuso mucho tiempo a la idea hasta que conoció las memorias de dieciseis gigas a las que les cabía toda la discografía de José José multiplicada por otros treinta José Josés.

18

TUVIMOS exámenes los dos días siguientes, y apenas nos mandábamos mensajes para saber cómo nos estaba yendo. Eran temporadas donde solo los más vagos seguían saliendo y los vagos pasados por el sistema militar de nuestras madres dejaban las calles a medio vagar para salir bien librados. No es que fuéramos grandes estudiantes, pero tampoco éramos los peorcitos. La escuela era el sistema: siempre le tiras piedras pero no puedes (y no quieres) zafarte del todo. Total, tratábamos de no ser los más mongoles estudiando al menos una vez cada dos meses. Quizá estoy justificando todo porque, en realidad, después de la primera vez del mars, no sabíamos si queríamos repetirlo o siquiera platicarlo. Ahora que lo pienso, esa temporada de exámenes fue como la calma que vino antes del huracán, si pensamos en el huracán como un Todo se acerca peligrosamente al carajo. Evitábamos el tema, pues, quién sabe por qué. Rulo fue el más afectado, por decirlo de algún modo. A Gabo se le pasó mi traición al día siguiente. De algo habrá servido pasarle las treinta y dos respuestas de opción múltiple de Química. No mames que no te sabías ni una, Gabo. Bueno, pues si ya ibas a pasarme unas, mejor aseguramos y te copio todas, para no errarle. Confiaba en mí como el bajista de AC/DC pone todas sus fichas en el baterista. Así íbamos tambíen Gabo y yo, con calificaciones bien amarraditas en casi todo. Tenía sus tardes malas en las que se saltaba un renglón de respuestas a la hora de copiar y entonces provocaba su propia catástrofe.

Los demás se robaban el internet del vecino, por eso tardaban mucho en contestar mensajes. Aprovecharon la intermitencia de su señal para pasar desapercibidos. También estaban en exámenes, aunque fueran en otra escuela. Les iba medio mal, la verdad, y Gabo les presumía sus calificaciones moderadamente buenas al final del semestre.

Almendra fue la primera en llamar. Me acuerdo muy bien de que estaba estudiando para el de Geografía. ¿Para qué carajos estudiamos Geografía económica? La llevan todos. TODOS. En Orientación vocacional te dicen que las materias comunes contribuyen a la formación humana. Eso es todavía más incomprensible que tener que llevar Geografía. ¿Qué no nace uno siendo humano? ¿Pagan más en un trabajo si eres un buen humano? ¿En qué parte del currículum se anota que uno cubrió todos los créditos para considerarse humano?

Se la creyeron, ¿verdad? Te pasaste cuando dijiste que no se comía, Joaco. Yo sé que no sabemos si les vaya a dar diarrea, pero me tuve que ir al surrealismo cuando les dije que era una sustancia visual. Me quedó bien el chorito, ¿no? ¿Estás estudiando? Pf, pero si siempre sacas diez. Ella me había marcado. Y no era para ver si le prestaba cien pesos o la acompañaba a buscar un libro. En verdad quería de mí una plática. Teníamos algo, lo sabía. Su voz era casi tan cálida como hace casi dos días, cuando nos explicó cómo usar el mars. Se reía al recordar cómo habíamos construido la historia y la cara de tontos que pusimos al ver la montañita de polvo. Incluso se comió el pan de abajo, el que no tenía nada. Tiró a la basura todo lo demás. Espero que con eso quede lejos Rulo y su pinche comezón de jina. No creo que la vaya a prender solo. Intercalaba su voz con más risas. A ver si no se clavan preguntando tonterías al rato. Ayúdame bien, Joaco, a darles el avión. Luego te quedas callado como si de veras te hubiese entrado el polvo al cerebro. Te dejo, ya no estudies. Vas a sacar veinte, nerdo. Un día todos te vamos a pedir trabajo a ti. Y no le pases el examen completo a Gabo, lo vas a hacer más burro. Seguro va a copiar hasta tu nombre, Joaco, y vas a sacar dos veintes.

19

MUCHA gente lo hace de buena gana, pero al esperar mucho de ti, también retacan de peso el amorfo y de por sí incómodo saco que tiene una *f* de futuro pintada en la tela sucia. Y de paso les amarran a sus buenas intenciones un par de recordatorios de que los salves cuando a ti te esté yendo a toda madre.

Bueno, pero eres tú, dicen, y no saben cuánta más presión agregan. Uno sabe que puede hacerlo pero que ahora debe hacerlo sin una pizca de no hacerlo porque nadie espera que falles. Entonces, si no estabas nervioso, al reducirte el margen de error, lo estás, y te imaginas perfectemnte bien la sorpresa, la decepción de todos cuando daban por hecho que lo harías bien. Me fallaste, campeón. En cambio, el zopenco del que se espera que apenas pueda escribir su nombre sin faltas de ortografía saca un siete y todo el mundo le invita unas cervezas.

Papá no presionaba. Parecía que todo el tiempo estaba esperando tomar una buena foto. Incluso platicando contigo. Se tomaba su tiempo para responder. Ese silencio rico que no te incomoda. Te veía como buscando en tu cabeza las palabras que iba a usar, como ajustando la luz de sus respuestas. No creo que le hubiese gustado que yo siguiera sus pasos en la fotografía. Para eso tenía a Gabo, a quien le explicaba con toda la paciencia que requería. Le prestaba una que otra vez alguna cámara sencilla para que el otro experimentara. De vez en cuando mezclaba los consejos de cómo sostener la cámara con los de cómo sostenerse saliendo de la prepa con una papa sin idea por cerebro. Por eso le dolió tanto a Gabo cuando murió. Por eso le plantábamos el desprecio más grande a la pinche jina.

Seguramente a Paul McCartney le pasaba todo el tiempo. Si a Ringo se le pasaba un golpe de tarola de más, probablemente nadie habría levantado la ceja, pero estoy casi seguro de que, cuando tenían que grabar algo nuevo, todo el mundo estaba alrededor de él, su guitarra zurda y su libreta pensando bueno, pues haz lo tuyo, muchacho, porque eres tú. Nadie espera que a Ringo le de un ataque de creatividad y nos resuelva el disco. Venga, tú sabes, un par de estrofas que van repitiéndose pero acaban con una palabra distinta, un coro enamoradizo y pegador y luego lo retacamos de *na, na, na, na.* No te tardes.

20

YA, DIGAN de dónde la sacaron. ¿Tienen más? Estuve buscando en blogs pero no hay nada. Solo una página en inglés tiene un chat de un ruco en Odessa, creo, que pregunta dónde se consigue mars en Texas, pero no le entendí bien. Claro, porque apenas hablas español, Rulo. Esto es nuevo, por eso todavía no lo encuentras. ¿Crees que ibas a poder preguntar en la farmacia o que iba a salir un artículo en la revista *Quo*? Pues no. Contigo no se puede, Rulo. Eres bien impaciente. Almendra tenía una capacidad increíble para decir cualquier cosa con mucha seguridad. Yo creo que también le gustaba a Rulo y le bajaba la guardia con sus mechas, pero seguramente él no tenía idea de que bailaban country los sábados en la tarde.

Te va a sonar a choro, Rulo, pero el mars viene de arriba. Sí, a huevo, ya decía yo que era gabacha esa madre. Hacen todo de lujo esos güeyes. Neta, están en otro pedo; son bien visionarios. Almendra ya sabía para dónde iba yo, pero su mirada no era muy alentadora que digamos. Mucho más arriba, Rulas. Dicen que esta cosa está hecha de un material que no hay en la Tierra. Sí le habían metido mano algunos diseñadores gringos pero no sabían bien de dónde había salido. Ahora los ojos de Rita eran de un castaño Vaya idiotez que estás diciendo, Joaco. Evidentemente, no sabemos si viene de Marte, pero por su tono rojizo y un poco por darle un nombre comercial potente le pusieron *mars*. ¡Su madre! Ya decía yo que tenía que ser algo muy cabrón para que pegara más duro que la jina. Estaba blofeando, claro, porque nunca había fumado, pero su farolez le venía bien a la historia. El color de las pupilas de Almendra pasó rápido a un miel Vaya imbécil que es Rulo para comprarse el chorototote que le tiraste.

Están cañones, chavos. Me sorprendes, la verdad, Joaco. Tú, siempre tan maricón como el Gabo, pero, bueno, a lo importante. ¿Cuánto vale, quién la vende y cómo compramos más? Sí van a querer, ¿no?

La consiguió un cuate por C.U. Lo conocí ahora que he estado yendo para lo del examen. No es barata, Rulo. Sí, ya sé, Rita. No soy nuevo, ¿eh? Al rato le pido una lana al Gabo. Al fin él ni va a querer. Pero ¿cuánto vale? ¿Siempre se puede así, como le hicimos, como en grupito la vez pasada? ¿Cuántas usadas le puedes dar? Igual y todavía tienen ustedes, en lo que compramos la otra.

Nada más una vez, Rulo. Las partículas se excitan en ese orden una sola vez y, por más que le pongas cualquier música ya no vuelven a ese estado. Rulas soltó una risita leve al oír de la excitación de las partículas. Yo creo que se imaginó a una amiba bailándole a otra. Hay que comprar más, pero tranquilo. Yo le escribo a este cuate, y a lo mejor lo veo mañana. No, Rita, tienes que verlo. La neta a mí sí me hizo mucho bien el mars. Pero no sabes ni cuánto vale, igual y ni te alcanza. El Gabo me presta y los otros dos también cooperan. Sí les latió. Dile a tu compa que queremos.

Teníamos ya nuestro primer adicto seguro de que el mars había tenido un efecto poderoso, y estaba dispuesto a pagar una lana por él. Quedamos de vernos luego. Almendra me acompañó a casa. Lo primero que hicimos fue medir cuánto mars había en la covacha. Nos ganó, en principio, el interés monetario. Seguro podría buscarse un polvo igual de común cuando se acabara, pero de momento podríamos seguir llenando botes de rollos de foto por un buen tiempo.

Le propuse a Almendra, un poco en serio y otro poco para estar cerca de ella, que nos pusiéramos pilas subiendo información sobre el mars, en caso de que Rulo aprendiera inglés o alguno de sus cuates se pusiera a investigar. Le pareció la idea y nos sentamos en el comedor con nuestras compus a buscar información de Marte, uno que otro chisme de Odessa, Texas, las vibraciones y su efecto en cuerpos sólidos. Abrimos un par de blogs en inglés con los testimonios de algunos de adictazos que ya habían probado de todo, pero que se pusieron su primer viaje de miedo cuando en una fiesta los pusieron a mirar un polvo.

Con una buena compu, uno puede armar un montón de cosas susceptibles de viralizarse. Cortamos unos pedazos de *2001: Odisea del espacio* y los mezclamos con ideas de *Star Wars, E. T.* y *Marcianos al ataque* para armar un documental ultrasecreto sobre cómo se supone que llegó el mars al mundo. Particularmente, a Texas. Creamos algunas cuentas en foros de curiosos aburridos de la jina preguntando si alguien sabía dónde se conseguía mars e incluso inventamos que alguien vio a los hermanos de Oasis preparándolo en su camerino antes de un concierto.

Almendra subió también un video donde unas manos sin voz explicaban cómo poner los panes y se cortaba justo antes de vaciarle el polvo y ponerlo en la bocina. Nos habíamos pasado unas cinco horas muy productivas Almendra, sus mechas amantes del bluegrass y yo. En internet hay dos caminos para lo que sea que subas. O se suma a la masa de desinformación que todo el mundo ignora o, por alguna razón que aún no se calcula, se convierte en una bola de nieve imposible de frenar.

21

De niño te dicen que hay de dos sopas. Luego viene el aguafiestas que informa que una ya se acabó, así que, en realidad, no tienes elección. Años después aparece otro listo que oyó demasiado a los Rolling Stones y te cuenta que no tomar sopa también es una elección, de manera que todos somos libres como tecolotes. Y para todo reivindicador como este siempre habrá un aguafiestas mayor que conspire alegando que la única sopa que queda la hicieron especialmente horrible para forzarte a evitarla cargando como un tonto un plato de sopa vacío y jugar con la cuchara, por lo que al final eligieron nuevamente por ti. Después del tarado anterior aparecerá uno menos listo pero más radical que proponga aventar la cuchara lo más lejos posible, en una revolución de los caldos calientes. Entonces el primer aguafiestas, que no ha cambiado en absoluto, te dirá que sigues órdenes de un enclenque renegado que nunca come sopa, y pateará de nuevo tu idea de libertad. ¿Se entiende el punto? Cuando lo piensas demasiado, acabas por no hacer nada. Yo soy esa clase de persona. Por eso, también, Almendra era fundamental en ese tiempo. Alguien debía detener el listado interminable de futuros posibles que yo dibujaba, y en cambio lanzarse sin paracaídas a cualquier punto de los que yo no había medido ni considerado propicios para caer de panza. Era fundamental por eso y por sus mechas californianas bailando nu soul, que eran apenas el principio de lo más lindo que puede ser lo que sea en el mundo.

22

NOS había ido más o menos bien a todos en los exámenes. Era el último semestre de prepa, de modo que reprobar algo y quedarse a pagarlo era uno de los futuros más lamentables. Gabo había sacado dos ochos, tres sietes y dos seises. Traducido, se había concentrado en copiarme en dos exámenes, había anotado mal las respuestas en los tres siguientes y había resuelto por su cuenta los últimos dos. Nada mal para ser exámenes finales. Rulo ya estaba estudiando diseño industrial en la UAM. Era un mongol para un montón de cosas, pero tenía un instinto muy desarrollado para las dimensiones, perspectivas, dibujo y, sobre todo, el uso de máquinas industriales. Había nacido para esas cosas, decíamos Gabo y yo. Para dibujar tuercas y diseñar las que le faltaban a su cabeza de asno. Aunque era un vago, un farol y un bebedor social que gastaba mucho en alcohol para sentirse aceptado, le entendía muy bien a su carrera y le gustaba. Solo con esas dos cosas ya estaba muy por encima del promedio de toda la bola de gente que estudia la universidad.

En realidad no era un mal tipo. Pienso que le pegó muy duro todo lo que se espera de un hermano-mayor-que-no-tiene-papá. La presión era mucha, de modo que tomó el camino de hacerse el rudo, tener muchas novias, oír rock viejón, querer una moto y hablarle a Gabriel como si fuera un blandengue. Sin embargo, detrás de esa apariencia ruda combinada con altas dosis de dudas y nerviosismo estaba un tipo sincero y de placeres sencillos, como ver los Simpsons y comer hamburguesas al carbón. Incluso llegué a platicar con él largo rato algunas veces que iba a buscar a Gabriel y no estaba en casa. Su rutina consistía en presumirme fotos de su nueva novia, luego de la Suzuki más cabrona de todo el mundo, e inventarme un nuevo apodo (Joacamaya, Joacapulco, Joacantinas, dependiendo de su nivel de inspiración). Pero luego me preguntaba francamente cómo iba la escuela o dónde pensaba estudiar la carrera, y era de los pocos que no decía Bueno, pero tú eres don Cerebro, sino Échale ganas, Joacaca. Si no te aplicas no le vas a sacar jugo a la escuela, y luego no vas a poder, porque va a estar muy cabrona. Casi siempre tomaba León de lata. En lo que esperábamos a Gabo me tomaba una, y él se acababa un six. Me decía que tomaba como su novia. Nos enseñó a jugar billar. De vez en cuando todavía lo veíamos ahí, jugando con sus amigos de la universidad. Nos saludaba medio seco, nos pagaba un par de horas y nos decía que nos fuéramos a la mesa más alejada de la suya.

Casi siempre llevaba la misma chamarra de piel medio agrietada y sus lentes de aviador. En su cuarto había un montón de dibujos de piezas o quién sabe qué cosas; algunos ya empezaban a invadir la sala color hueso que tanto cuidaba su mamá. El hermano grande a veces se vuelve así, tosco, duro y hasta mongol por los trancazos. Ya es difícil que te arranquen la pelota un día, te digan que estás a punto de convertirte en adulto, que te limpies los mocos, te peines, aprendas a ahorrar y pienses qué vas a hacer de tu vida. Échale encima que te encarguen hacer lo propio con tu hermano menor. Te la pasas malabareando: lo que te hace más feliz, lo que te hace menos daño, que tu hermano chico no ande en malos pasos (como si tú no anduvieras o no los conocieras), que le peguen lo menos posible en la escuela y que no repruebe materias. Teniendo a Gabriel como protegido, la chamba de Rulo estaba pesada desde el día en que lo subieron al microbús y le dijeron que se las iba a ver perras si algo le pasaba.

Él era de los poquísimos con los que pude recordar la muerte de papá. No sé por qué. Yo creo que esa manera suya de ser rústico y honesto te invitaba a hacerlo. ¿Cómo estás, cabrón? Lo que necesites. Ya sabes. Y no te vayas a hundir, que nos vas a jalar a todos, Joaco. Platicamos del desierto, de las cámaras de papá, del choque y de cómo no tenía mucho qué hacer en Pistolas Meneses. Omití lo de la jina al contarle. Hizo un par de bromas sin gracia sobre el nombre del pueblo. Se fumó tres Camel mientras le conté. Le causó la misma extrañeza que a mí que el estéreo hubiera estado apagado si mi papá iba a manejar de noche en carretera. Sentí las mismas ganas de llorar cuando terminé de contarle que cuando mamá me lo dijo. Lo siento mucho, Joaco. Tu jefe era un don bien cabrón.

¿Cómo no sentir simpatía por ese cavernícola que había pisado por primera vez todos los caminos para hacérselos más fáciles a Gabo, y de paso a mí también? ¿Cómo no diseñarle un placebo para no poner a prueba su resistencia a la jina? ¿Cómo no querer quitarle el peso del papá suplente que nunca quiso ser, en lugar de que lo hiciera un humo cómplice? Tal vez nunca se lo dije, pero nos había sacado de tantas a todos siendo ese payaso ingenuo, duro y burlón que merecía que le echáramos ganas con el mars.

23

PARTE del problema —de cualquiera de los problemas, y de cualesquiera soluciones a cualesquiera problemas— es creérselo todo sin hacer preguntas. Así pasó con el mars, y así pasa con los años en los que crees que serás el cantante de una banda de hardcore. No te preguntas nada hasta el día que te angustias por conseguir trabajo o terminar la escuela, o por si tiene sentido encontrar trabajo y terminar la escuela, o por la utilidad de preguntarse si tiene sentido conseguir trabajo y terminar la escuela, o por si en realidad hay que encontrar la escuela y terminar el trabajo. Dicen que la ignorancia es el principio de la sabiduría, pero no dicen que es también una zona segura donde uno se confunde con el paisaje. Eres tonto, pero entre tantos tontos que se quedan quietecitos para pasar inadvertidos es difícil distinguirte. Si te dejas llevar diciendo que sí entendiste a todo lo que no pediste que te explicaran, nadie va a pensar que eres uno de esos preguntoncitos que cuestionan el orden rutinario en el que cada quien tiene medianamente lo que puede. Por otro lado, ser este odiado cuestionador, al menos ofrece la ventaja de saber que eres alguien con los contornos más o menos dibujados.

En ese trámite de no saber quedan dos sopas calientes: la primera es dejarte llevar por la incertidumbre y dar todos los tumbos. De esa casi nadie quiere porque sabe un poco a cilantro amargo. La otra es creer que alguien más ya leyó, estudió, mandó a unos laboratorios en Houston, hizo congresos al respecto y demostró una verdad a la que aferrarse. Al final, creo que uno acaba pidiendo medio plato de cada sopa y la revuelve con limón.

24

UNA vez terminada la temporada de exámenes la presión aflojaba y las calles se llenaban. Nos juntamos de nuevo todos después del primer episodio con el mars y la bocina. ¿Conseguiste, Rita? Depende. ¿Traes dinero? Intervine estirándole la mano a Rulo. Creo que Gabo todavía estaba en ese estado zombi, igualito a como se puso cuando empezó todo. Claro. Ya sé que nada más la primera es gratis. Saquen feria, órale. Los demás obedecían medio de mala gana, dejándose llevar por la situación. Gabo seguramente ya había cooperado desde su casa en contra de su voluntad.

¿Cuánto compraste? Suficiente. Habíamos llenado siete botecitos más y dejamos seis en la covacha. Todavía quedaba en el suelo como para llenar otros cinco. Uno de los demás dijo que había estado buscando en internet y había encontrado un video donde la preparaban. Pero en ese le ponían una canción de My Chemical Romance. Almendra me miró y sus ojos color madera preguntaban ¿Tú hiciste más videos? Respondí negando levemente con la cabeza. Alguien más había subido algo nuevo. ¿Y qué más hacía? No, pues todo lo demás era igual que como tú le hiciste pero él le vació el mars como en agüita. Entonces no era. O por lo menos era falso. Rita parecía divertida, pero no se le notaba en la voz.

Otra vez fuimos a casa de Rulo, no sin antes pasar a comprar una bolsa chica de pan. Su mamá había comprado integral. Las vibraciones, obviamente, no serían igual de potentes en ese pan fibroso y café. Los demás tenían voces ansiosas. Rulo decía que lo que a él le pasaba es que se veía en una carretera de Estados Unidos, manejando un Camaro a mediodía, con los Rival Sons a todo volumen, rodeado de un desierto rojizo. Nada mal para estar inventando cómo le pegaba el mars. Los otros decían que, por alguna razón, se ponían en un alucine juntos y estaban en una playa de Oaxaca, en un campamento con un montón de canadienses que querían probar la tanarita mexicana.

¿Y tú, Gabo? Me da frío. Ay, si ni siquiera lo hiciste bien. Te abriste antes de que te pusiera. Me da frío, es todo. No se le veían ganas de discutir. Yo sentía cómo le parecía un extraño con todo esto. No podía creer que estuviera armando un pase de mars, que me estuviera haciendo el atascado por agradar. Sentía cómo dejaba de reconocer en mí a su mejor amigo y era incapaz de decirme que no me metiera en esas cosas. Sí, yo también, decía otro de los que según se veían acampando en la playa. Yo igual, frío, siguió Rulo, aunque tenía mucho menos sentido, porque manejaba en mitad del desierto gringo a pleno sol. ¿Qué, güey? Me da frío, no sé por qué. Así pasaba, ¿no? ¿Y a ti, Joaco? Nada. Creo que a mí esa madre no me hace. Era una jugada peligrosa, kamikaze, porque podía asomar que todo era un invento de Almendra y mío, pero también podía meterle saborcito a la historia. ¡Cómo no te va a pegar! Si eres igual de maricón que el Gabo. Al menos a él le dio frío. Lo que pasa es que Rita te trae de baboso y no dirías nada ni aunque te inyectaras wasp, pinche Joacola. Lo cierto es que no sentía nada, solo las tardes y más tardes que pasaba junto a Almendra subiendo videos, llenando botecitos de mars, riéndonos de los efectos pasados-de-lanza que causaba en Rulo y los demás.

Va la buena. Ahora me traje un disco mucho mejor grabado que tu USB, Gabo. Ya sabes, súbele todos los graves y anúlale los agudos. Vacíale el mars con cuidado, Joaco. No toques el pan, Rulo, vas a cagarla si sigues metiendo las manos. De nuevo se escucharon los cuatro bombos de Gnarls Barkley. La bocina se agitaba como trucha fuera del agua. La rejilla negra no se movía, pero el aluminio del pan sí se veía borroso por las vibraciones. Tenía su parte de hipnótico mirar el cuadrado de aluminio forrando el pan, esperando que no pasara nada y pasara todo al mismo tiempo. Rita y yo no encontramos explicación a por qué el polvo vibraba y se formaba en un círculo muy bien delineado, casi brilloso. Pasó la primera vez pero no estábamos seguros de que pasara de nuevo, aunque muy probablemente el polvo se comportara del mismo modo al ponerle la misma canción, el mismo aluminio y dos panes bimbo medianamente frescos.

Se terminó el disco que solo tenía esa pista. Destapamos los panes y nos quedamos mirando el polvo varios minutos. No podría decir si alguien tenía los ojos cerrados pero al menos sé que nadie se movió. Algo había en ese acomodo absurdo que nos hacía mirar. Sobre el pan más alto, el mars se acomodaba en una línea diagonal perfecta, alta como una muralla diminuta para soldaditos en la tierra del pan bimbo. Una trinchera rojiza casi brillante, con algunas partículas alineadas en punta. Excitadas, diría Almendra. En cualquier otra circunstancia me habría hecho treinta y tres preguntas sobre qué carajos pasaba con el polvo si habíamos usado la misma canción en el mismo estéreo bajo la misma ecualización sobre dos panes del mismo modelo, si bien no eran de la misma bolsita, dado que aquellos ejemplares probablemente se convirtieron en algo menos exótico que el recipiente para preparar el mars y más como un sándwich de cajeta de los que se preparaba la mamá de Gabo cuando volvía del trabajo.

Lo único distinto era la calidad del archivo. Según Rita, el USB tenía una calidad muy pobre y Gabo era básicamente un tarado al bajar archivos mp3 tan malos, y ella, en cambio, se había hecho de una copia fiel del disco con una calidad que casi sentías la cabeza pelona de Gnarls Barkley si te ponías audífonos. Evidentemente, nadie hizo preguntas. Pudo haber estado el polvo formado en una raya, haciendo gato, mostrando las letritas del espacio de cuando empieza *Star Wars* o haciendo un modelo perfecto de un volcán hawaiano en erupción de chocolate. Daba igual. Todos estábamos ahí, viendo, sintiendo un poco de frío. De pronto, como si fuera la cosa más normal del mundo, Almendra me tomó de la mano. No me moví. Ni siquiera pude asomarme a ver mi mano pegada de la suya, pero muy adentro un estadio repleto de células mías se volvía loco y gritaba porras y prendía petardos agitando banderas como si hubiera goleado a Brasil. Nadie pudo ver ni hacernos burla; todos, tal vez Rita incluso, estaban en el mars con un poco de frío. Todos excepto yo.

25

LA COSA se complica cuando te propones anticiparte a lo que sólo puede empeorar. Te surge la molesta e inalterable necesidad de medirlo todo. Por eso hay teorías de movimientos parabólicos, modelos de fractales, diagnósticos precisos para locos irremediables, dietas que harán que en noventa días pierdas peso y recuperes tu autoestima y equipos financieros estudiando el comportamiento de los centavitos que se mueve el dólar. Mientras más sepamos de cómo funcionan las cosas, creemos que nos va a ir mejor. Pero hay cosas que simplemente no funcionan como las demás cosas, o simplemente es estúpido medirlas. Dicen que los coreanos lograron descifrar la fórmula exacta para que una canción te pegue en el cerebro y se convierta en un meganegocio. Que tiene que ver un poco con coritos pegajosos, aplausos, figuras melódicas en silbiditos, uno que otro *Yeah, party* y una coreografía que cualquier sopapo pueda bailar.

Si esto fuera cierto, tendríamos ya las estaciones de radio atiborradas de canciones coreanas. Aunque el *K-pop* ahí viene, como la mancha voraz, Roma no se hizo en un día. No tengo nada contra los coreanos. Me puede ser igual de insignificante o trascendente como himno de batalla una canción canadiense, japonesa, australiana o árabe. Pero todavía no me acaba de cuadrar un mundo en el que todos los aparatos que usamos y los sonidos que salen de ellos vengan de allá. No es una cuestión sensiblera a favor del mariachi. Imagino esta mancha coreana cruzando el Pacífico con su pop intenso, incomprensible y superbueno para hacer ejercicio. Y de este lado del mar, esperándolo, todo un ejército de bandas de sencillos: los Cardigans, los New Radicals, Sugar Ray y toda esa música que se apagó cuando a MTV le quitaron la única letra que lo hacía distinto a la televisión. Las guitarras brillantes y las baterías como una muralla palpitante para repeler con fuerza la mancha coreana, los bajos reforzando la estructura de defensa, y unos versos capaces de perforar cualquier intento de hacer de la música una fórmula. Ese sueño tan melodramático, cursirockero se vuelve pesadilla cuando miro a un comando de New Radicals coreanos, robots tremebundos que disparan sencillos más rápido de lo que uno puede descargárselos en línea. A medio camino, sobre el Pacífico, abandono el sueño y prendo el estéreo, y suenan canciones a las que todavía les entiendo por lo menos los coros.

Hay cosas que es mejor no calcular. Papá quizá tuvo unos segundos apenas para medir si podía esquivar la camioneta que le pegó en la carretera. Tenía buenas manos en el volante y me cuesta trabajo pensar que, si solo iba manejando, no la hubiera podido esquivar. Tal vez, como yo, calculó de más hasta congelarse en las mediciones. *Target fixation.* Tenemos economistas y simuladores financieros del tamaño de una vecindad, y eso no ha logrado que nos vaya menos de la mierda.

26

CUANDO algo que, hasta cierto punto, solo pasa en internet se convierte en plática de papás, ya estás hablando de otro nivel. No es como un video chistoso nada más. Transgrede las barreras generacionales e interestelares entre lo que hacen los papás y todo aquello que no hacen porque no son muy amigos de Google. Los pequeñitos bytes escapan de las pantallas y se les pegan a sus pantuflas, sus lentes bifocales, su cabello entrecano. No entienden mucho de qué sentido tiene escribir tantos "tuíters", pero sí que saben cuando la cosa se pone rara.

Lo que fue en un principio una señal reforzadora y divertida de algo que no existía propiamente, o que sabíamos bien que nosotros habíamos inventado, pronto encontró dimensiones más grandes de las que podíamos controlar. Aparecieron en un par de semanas videos de Oaxaca, Ámsterdam, París y Tokio de gente preparando un polvo parecido al mars, de colores distintos, con panes más o menos parecidos a los nuestros, con muchas otras canciones, y todos acababan más o menos en el momento en que se destapa el envuelto de aluminio y se comienza a mirar. También había un video de esos que son como psicológicos, donde suena un ruido cíclico, se ven imágenes borrosas en blanco y negro, salen unas letritas como en ruso y acabas no entendiendo nada y sintiéndote un poco raro. No hacía falta preguntarnos si Almendra o yo éramos responsables de cualquiera de esos videos. Creamos una leyenda urbana, una de un polvo que al ponerle música se pone en sintonía para ponerte en sintonía. Nada era cierto, pero daba un poco de miedo saber que la historia ya no era nuestra y era imposible frenarla.

¿Ya viste eso del mars? Ya no saben ni qué inventar para sonsacarlos. La historia había llegado a mamá. A lo mejor no le entendía muy bien, y daba risa oírla hablar de los "tuíters" que decían que era muy potente y adictiva, pero ya estaba llegando un poco lejos. Tú cuídate mucho, Joaco. No te puedo vigilar todo el tiempo, pero ya no eres un niño chiquito. A ver, ven acá. ¿Nunca te han ofrecido esa jana o jina o como se llame? Por favor siempre diles que no, Joaquín. No tenemos ni para pagarte tus vicios ni para quitártelos.

Esa noche Rulo me mandó un mensaje. Güey, ¿quién les vende el mars? Ya hay un chingo de blogs y videos. Un cuate quiere comprar. No es para sacar lana ni nada, pero le conté y quiere saber qué onda. Nunca nos habíamos planteado que esa historia chafísima durara más de dos días. Mucho menos imaginamos que se extendería con un montón de gente que no conocíamos y que quería fundirse el cerebro con un concepto que inventamos en la covacha de papá.

Quién sabe, mi Rulas. Igual y tardaba o ya no volvía a haber. No mames, Joaco, No me vengas con chingaderas ahora. Te portas como un *dealer.* Somos amigos, cabrón. Nunca quieras sacarles lana a los cuates. Me preocupaba que se estuviera poniendo así de ansioso por un polvo inútil, por un placebo que le hacía solo lo que su cabeza decía que hiciera.

Si venía del espacio, el espacio era enorme. Ni modo que solo hubiera para llenar dos botecitos. Y no me vengas con que son meteoritos, Joaco, porque por mucha chinga que les acomode la atmósfera, siguen siendo piedrotas de las que se puede limar un montón de mars. Suficiente para que le pegues y te imagines toda la vida abrazando a Rita.

Ya, no friegues. Hablo con este mono y te aviso si consigo. Sabía que Rulo me estaría vigilando. Mucho intermediario podía poner en peligro su dotación regular de mars. Almendra y yo fingimos ir atrás del mercado de Santa Julia a buscar. En realidad, nos topamos con un vendedor de cuetes para el 15 de Septiembre. Le compramos unas palomas, nada más para hacer el chiste, y metimos la bolsa de plástico en la mochila de Rita.

Llenamos un par de botecitos con polvo. ¿No crees que todo esto se puede hacer muy grande? Le contesté que el único bestia que nos creía lo del mars era Rulo, y solo por eso lo creían los demás. Ella sonrió más relajada y se dio la vuelta para ponerle un plástico encima a la montañita de polvo en el piso. Sus mechas la acompañaban seguras y suaves, como una canción de Alicia Keys.

Rulo había ido a Santa Julia después de nosotros y nos reclamó por no haberlo llevado. Ahí venden puros cuetes, pinche Joacapulco. Ya digan a quién le compran el mars. Mira, Rulas, aquí tenemos otro poco, y este lo pagamos Joaco y yo, así que deja de alegar y nos vemos en tu casa en quince. Rulo sonrió, quiso arrebatarle el bote a Almendra, pero ella tenía una mano muy rápida. Rita cabrona. Voy poniendo el estéreo.

Cuando llegamos a casa de Gabo, estaban él y los otros dos. Rulo entró justo después de nosotros con un ¿Se acuerdan de mi compa, el Cabuqui? Quiere ver qué transa con el mars. Todos nos sacamos de onda porque, hasta el momento, el polvo y cualquiera que fuera nuestro consumo eran nuestros, no de Cabuqui y la estupidez de Rulo.

Así no va la cosa, Rulas. La neta, esta madre es nada más entre nosotros. Nada personal, Cabuqui, pero cada quien decide qué se mete con quién y a quién le confía sus viajes. Era uno de los amigos más grandes de Rulo. Seguramente ya venía medio jino. Con un disgusto más leve que su hueva respondió Nah, no hay falla, morros. Allá su desmadre. Cámara, Rúler. Luego nos topamos.

Cuando el hermano de Gabo volvía de despedir a su amigo, lo estábamos esperando todos para caerle a palos por su confiancita. ¿Qué te pasa, Rulo? Ni siquiera conocemos a ese güey. Sí, no mames. Ni lo metas a la casa, cabrón. Se va a llevar la tele. Tal vez Gabo exageró pero contribuyó a arrinconar a Rulo. ¿A quién más le andaba diciendo de esto? No eran tamarindos, pinche tonto. Ya, aliviánense. Es que la otra vez me ofreció jina el Cabuqui y le dije que no le entraba a esas madres porque habíamos conseguido una cosa supercabrona que no te jode el organismo. Pues todavía no sabemos si te jode, Rulas. Hablas como si lleváramos años preparando mars. La neta, si no puedes mantener esto sin estarlo faroleando, mejor ábrete.

Oquéi, la bandita somos nosotros nada más. Ya, no hagan lío. ¿Podemos darle ya a esa madre? Todos seguíamos un poco con el coraje pero acomodamos el estéreo y los panes. Mientras sonaba una estrofa de Crazy, me quedé pensando a cuántos más les habría dicho Rulo del mars en su intento por ser el tonto más tonto de la colonia

27

VENÍA hablando con alguien. Por eso traía el estéreo apagado. Había recreado la escena muchas veces en la cabeza. Cuando dolía mucho la dejaba por un tiempo, pero era un pensamiento recurrente. Había olvidado el celular en Ojinaga. ¿Por qué iba a Pistolas si tenía su teléfono en otro lado? Lo más perro de todo: ¿cómo pudo venir hablando con alguien si estaba solo en el coche, sin teléfono?

Descartemos cualquier sospecha de que tenía otra familia. Al menos, no tenía una doble vida con un doble celular porque, juntando todas las cosas que dejó en el norte y aquí en casa, no había nada que no estuviera conectado con nosotros. Si encontraron cada pedacito arruinadísimo del coche, ¿por qué faltaba el brazo de papá? ¿Llevaría ahí otro celular que salió volando muy, muy lejos con el choque? Si la explicación era así de extraña, papá tenía al mismo tiempo la mejor y la peor de las suertes. Si en esos rumbos difícilmente hay señal de teléfono, solo podía estar hablando con él mismo. Mamá recuerda que él decía que el cielo de noche era el más impresionante visto desde Pistolas Meneses.

28

MAMÁ estaba preocupada porque la mamá de Rulo y Gabo le había dicho que el D. F. era el único lugar, además de Odessa, Texas, donde el consumo del mars se podía rastrear por los videos en internet. Tranquila. Además en las noticias dicen que es la más noble de las drogas, ma'. No hay drogas nobles, Joaco, solo cabezas noblemente tontas, como la tuya. ¿Me habían ofrecido a mí esa cosa? Por supuesto que no, ma', pero creo que en las noticias están inventando la historia porque no tienen nada mejor que contar. Como la vez del Chupacabras o la Navidad donde decían que había un cóndor gigante que se comía a los niños. Lo del cóndor era cierto. Pues a lo mejor, ma', pero nadie ha encontrado el tal mars. Son puras reconstrucciones a partir de videos. Cualquiera puede hacerlo. Yo puedo y tú puedes. Si quieres mañana hacemos uno y te disfrazamos de cóndor.

A ningún papá le hacía gracia todo eso. Tal vez era nada más una leyenda de internet, pero ya hacía ruido suficiente como para que empezaran a preocuparse por sus hijos. Rulo y los demás se sentían la gente con más onda de todo el mundo al ser de los poquitos que habían probado lo que para la televisión y el Facebook era un mito. Gabo seguía sin saber qué pensar de todo pero dejándose llevar un poco. Almendra y yo pasábamos más tardes juntos, ya no planeando lo siguiente que inventaríamos, sino yendo al cine, comiendo elotes, caminando a ningún lado.

La historia se sostenía casi solita gracias al morbo de internet. Todo iba bien y no nos preocupó hasta que la siguiente vez que llevamos un bote de mars a casa de Gabo por la insoportable insistencia de su hermano, encontramos a unos quince desconocidos afuera de su casa, apenas más conocidos para el bocafloja de Rulo. Nos miró acercarnos apenado e intranquilo. Miren, la neta ya tenía mucho que no le decía a nadie lo del mars, pero un güey de estos se acordó de que le platiqué y les dijo a todos. Ayúdame, Joaco. Estos monos sí son medio locos, ya me siguieron hasta la casa. Dales un bote para que se vayan y luego vemos qué hacemos.

Pero la bronca iba a ser mucho más seria que eso. A petición de Rulo, les dimos un bote entero y les explicamos cómo armarlo. Anotaron un par de cosas. Preguntaron si cualquier canción servía. A ti te pusieron un nombre, ¿no? ¿La gente te llama por cualquier otro y volteas? No, ¿verdad? No se trata de poner una rola u otra. Esto no es jina como para quemarla con cualquier cosa. A esto hay que meterle música. ¿Tienes algún disco de Tool? Bueno. Consigue uno, el que quieras. Y pon la pista número tres, de cualquiera.

A los tres días, como pensamos que sucedería, estaban unos veinte afuera de casa de Gabo buscándonos. Una patrulla se acercó a nosotros intentando husmear. Dijimos que no conocíamos a nadie y se dispersaron un poco, pero se volvió a juntar la bola bien entrada la tarde. No solo teníamos un amigo adicto a una cosa imaginaria. Ahora teníamos, del otro lado del zaguán, a una creciente masa de zombis jinaitos queriendo probar cosas nuevas.

La mejor solución que se nos ocurrió, para que los vecinos no sospecharan y la mamá de Gabo no se enterara fue decirles que era peligroso seguir entregando ahí. Dejaríamos un botecito cada cuatro días en la segunda canasta de la cancha de básquet del fondo del parque. Intentábamos que fuera discreto y anónimo. Cada cuatro días estaba parado uno de ellos esperando que llegáramos con el polvo. Pero los otros dieciocho fingían estar platicando a unos diez metros de la cancha. Les habíamos dicho que el mars era superbueno porque no te ponía tan ansioso de meterte más tan pronto, aunque a esa gente seguro le produce ansiedad hasta limpiarse la nariz nada más para sentir algo. Aun así, los mantuvimos más o menos ordenados unas tres semanas regalándoles el polvo.

29

A PAPÁ le caía bien Gabo. De niños, subíamos a su covacha a ver qué hacía. Nos prestaba una cámara e inventábamos que estábamos cubriendo una guerra. Yo me acababa un rollo en diez segundos, pero Gabo era muy cuidadoso y casi no tomaba ninguna. Le tenía un respeto incomprensible a la cámara, del mismo modo que le tuvo un respeto incomprensible a subirse a una bici, a lanzarse al río en la casa de su abuela, a las ranas y a los exámenes de Matemáticas.

Sostenía la cámara, eso sí, orgulloso, serio. Papá le daba consejos de cómo tomar la foto, con qué mano sostener qué cosa y cuándo no usar flash, pero Gabo no se animaba a apretar el botón. Papá le quitó la cámara un día, se dio la vuelta, le movió un par de cosas y se la devolvió. Mira, ya le quité el rollo para que no te pongas nervioso, Gabo. Practica tomándoles fotos a los lavaderos de la esquina. Corrió hasta allá, apuntó como papá le había enseñado, giró el lente, se acomodó mejor y disparó una y otra vez, con toda la tranquilidad, seguro de que se trataba solo de un ejercicio y nadie podría ver lo que tomaba porque no había un rollo capturándolo. Cuando terminamos, papá tomó la cámara y nos sacó de la covacha un rato. Salió después de unos minutos con unas fotos en las manos. Te mentí, mi Gabo, pero solo para que sepas que puedes tomar fotos muy buenas si te quitas el miedo. Dejó sobre nosotros unas diez fotografías de los lavaderos. No era lo mejor que se ha tomado nunca, pero eran fotos bastante buenas. Detrás del miedo a hacer cosas, Gabo tenía talento. Solo te hacen falta unos placebos de vez en cuando, Gabriel. Un empujoncito, aunque sea engañoso como este, para que te animes.

Ahí supimos qué eran los placebos. Bueno, ahí y cuando el abuelo de Rulo empezó a inventar que tenía dieciséis tipos distintos de sarampión. Trajeron a varios médicos, pusieron una cámara en su recámara y se dieron cuenta de que el señor se pintaba lunares por las noches. Compraban inyecciones de solución salina. Básicamente le inyectaban agua a ese viejito mentiroso, y él empezó a mostrarse más repuesto de inmediato. Una vez le había salido una bola morada en el brazo izquierdo. Era una mancha con la forma de un perro salchicha que pensamos que se había pintado para llamar la atención otra vez. Para su mala suerte, esa mancha sí era una enfermedad verdadera oculta detrás de los puntitos de colores que se pintaba. Todos te cuentan de Pedro y el lobo, pero nadie te dice que en todas las versiones de la historia el lobo siempre se come a Pedro.

30

FALTABA poco para llegar a la cima del desmadre que ocasionamos con el mars. Nos escribieron de Ámsterdam unos tipos preguntando si podíamos venderles algo y también la fórmula. No sé cómo dieron con nuestros verdaderos correos, pues habíamos creado varias cuentas para subir los videos. Escribieron cinco días seguidos y los ignoramos, hasta que dejaron de hacerlo.

También recibí una llamada una tarde que estaba en la covacha con Almendra. Un tipo que hablaba como costeño quería saber cuánto quería por el mars y si se lo podía dar a un primo suyo que venía a México en estos días. Puse el altavoz y le expliqué que no tenía idea de lo que estaba hablando. Pregunté cómo tenía mi número pero volvía a su oferta de comprar el polvo. Almendra dijo que más bien era como sudamericano. A mí me sonaba un poco jarocho y muy terco. Colgué y bloqueé el número. Nunca más supimos del costeño.

Lo que sí sabíamos era que la televisión se estaba tomando muy en serio lo del mars. En el noticiario de la noche habían invitado a un opinólogo de la UNAM, dizque especialista en drogas de diseño. Uno de esos rucos con suéter de profe que se acomodan los lentes mientras hablan, salivan mucho y tienen esas voces como de ardilla anciana. Había un opinólogo número dos, que a todas luces representaba a una cosa religiosa y, cada que el presentador decía mars, él negaba con la cabeza, como los perros babeadores de Pavlov.

El conductor abría con una de esas preguntas que seguramente escogen de una lista de las más espectacularmente estúpidas. Díganos, doctor Zoquete Uno, ¿en verdad estamos frente a una droga buena o el llamado *polvo de Dios*? La respuesta, evidentemente, tiene que estar al nivel de la idiotez preguntada. Verás, Conductor Cara de Papa, no podríamos llamarla buena porque todas las drogas tienen efectos perjudiciales sin importar el caso. Algo muy extremo y radical para ser un experto en la materia. ¿Y la tanarita, recetada por médicos para gente con dolor de huesos? ¿No será una cosa de dosis? No estoy defendiendo a ningún consumidor. Todo este alboroto comenzó por querer que mis amigos no se metieran jina, pero el problema no es la sustancia, es el jodido humanito que se la retaca. No saber parar es el problema. La jina no crece malvada en los arbustos, haciéndoles bullying a otras ramitas o a las ardillas. Mucho tiene que ver con los compuestos químicos, adictivos a todas luces, pero tampoco hay que darle toda la razón a quien dice que sabe todo de todas las drogas, o al menos no de la mía, porque si así fuera, sabría que no es ni buena ni mala droga porque, en principio de cuentas, no es una estúpida droga.

Por su parte, Opinólogo Religioso Número Dos casi se desmaya cuando oyó en la misma frase mars y Dios. Explicaba que Dios, al menos el suyo, no había creado en el mundo maldad, vicios ni perversiones. Que éramos nosotros los que hacíamos de este lugar algo monstruoso. Parecía una aseveración justa y ferviente pero altamente estúpida. Si nosotros fuimos creados por Dios y somos sus hijos, podemos transformar veinte cosas pero no tan fácilmente crearlas, porque él es el Creador y no nosotros. De este modo, me cuesta trabajo pensar que la tanarita sea una invención de Disney o que la jina no salió de ningún lado sino de la taza del baño del diablo, en cuyo caso también le estaríamos atribuyendo capacidad para crear. Cierto es que somos muy buenos para ponerle más cucharadas a todo lo que se nos ocurre. La dosis, como dije antes, hace de una piedrita de uranio una bomba mortífera, alguna mezcla de plantas y jugos concentrados hace a la jina, y hasta la Coca-Cola alguna vez tuvo sus orígenes en azúcar y plantas. Que no me venga el Opinólogo Dos con sus maldiciones a las plantitas que Dios y su dios se encargaron de poner por aquí y por allá.

El punto de todo esto es que el mars ya estaba muy lejos de ser la idea ingenua de salvar a nuestros amigos un poco en broma, un poco en serio. En dos semanas, internet estaba inundado con fotos y foros de dónde o cómo preparar mars casero, videos en un montón de idiomas de gente volteando bocinas y buscando pan Bimbo y de polvos de muchos colores. El periódico y la tele inventaban una que otra cosa, subiéndole un poco el nivel al mars. Las versiones iban desde que todo era una estrategia estadunidense para dormir a los mexicanos hasta que se trataba de un mecanismo alienígena para empezar a condimentarnos con una pimienta espacial para después hacer del planeta una parrilla y comernos bien sazonados. Lo único que no era divertido era la cada vez más grande nube de jinos que se arremolinaban cada cuatro días en la canasta de básquet esperando sus ahora tres botecitos de mars.

31

HAY quienes dicen que trabajan mejor bajo presión. A todas luces, es una verdad a medias. Yo no trabajo mejor bajo presión. Cuando no estoy presionado, no trabajo mejor ni peor, simplemente no hago nada. Tenemos una enorme capacidad para postergar lo que sabemos que puede solucionarse rápidamente hoy mientras tomamos una siesta. Lo dejamos para luego o nos guardamos la ilusioncita de que, si no le hacemos nada, a lo mejor no se arregla, pero no se echa a perder más.

Yo tengo que sentir que me quedan minutos para cumplir cualquier cosa para, entonces sí, ponerme a trabajar, prender el estéreo y atiborrarlo de canciones potentes que me pongan como máquina a escupir resultados. Siempre que tengo un mes, una semana o un par de días, la responsabilidad me sigue como una sombra que no dice nada hasta que está a punto de estamparse con un iceberg, y entonces se te empieza a hacer buen momento para resolver el pendiente.

Envidio como si fueran hijos de Bob Dylan a quienes conozco que pueden planear y trabajar sin prisas durante días. Recuerdo bien a Gabo, comprando las cosas para su maqueta de dinosaurios dos meses antes. Se me hacía el lerdo más grande del mundo cuando empezó a poner plastilina verde a su tabla. Le compraron los muñequitos como un mes antes de la entrega. Comenzó a trabajar en el volcán y tardó dos semanas en quitarle la forma de vaso y forrarlo de masa café. A mí se me prendió el foco una tarde antes y le pedí todo el dinero posible a mamá para buscar en todos los tianguis figuritas de dinosaurios. Me dormí a las cinco y desperté a las seis todavía a acomodar a los que estaban tomando agua del río de papel aluminio. Saqué un ocho de media tarde bastante digno frente al diez de dos meses de Gabo. Con el mars pasó lo mismo. Sabíamos que venía una bola de nieve pero empezamos a correr cuando ya estaba encima de la cabaña.

32

A LAS tres semanas, ninguno de nosotros tenía la más mínima gana de preparar un poco de mars. Gabo estaba muy ocupado corriendo a los vagos que buscaban a Rulo para comprarle un poco. Rulo, igual de atareado convenciendo a sus amigos grandes de que podía conseguirles, pero no sabía de dónde la sacaban, todo ello tratando de seguir siendo cool. Almendra y yo volvimos a recibir correos de los holandeses, pero los ignorábamos para poner canciones de los Foo Fighters y bailar en mi casa frente al estéreo que ella juzgaba potente pero de poca fidelidad. Sus mechas flotaban y se me acercaban como solos de guitarra frenéticos. Rita me sonreía, me decía Me gustas, Joaco. No hacía falta que yo le dijera nada. Las mechas eran muy buenas leyendo mi cara de tonto enamorado.

La tele no dejaba de inventar cosas divertidas y otras no tanto. Sacaban grafiquitas de lo que podría ser la composición de la llamada *droga buena.* Según ellos, el mars tenía sustancias que equilibraban el cerebro dándole la oportunidad al consumidor de elegir su degenere y también de no enajenarse metiéndose más. ¿Cómo carajo podían saber eso si todo el mars que había en el mundo salía de mi covacha en las manos de Almendra?

Lo que no era tan entretenido era cuando comentaban que instituciones de seguridad y salud de la ciudad y el gobierno federal, cárteles del narcotráfico y un grupo de parranderos expertos en consumir porquerías proveniente de Ibiza, todos juntos, buscaban a toda prisa al diseñador y distribuidores del mars.

¿Qué iba a pasar el día siguiente si se paraban seis camionetas blindadas pidiéndonos el polvo? ¿O si la policía hacía un operativo en la covacha? A los primeros les iba a parecer una pésima broma que el mars hubiera sido un placebo inventado por nosotros. A los segundos les iba a valer madres y seguro nos echarían cargos severos por delitos contra la salud antes siquiera de hacerle pruebas al polvo. Nosotros mismos nunca nos molestamos en ver siquiera de dónde venía. La cosa no iba a ser tan dramática como las seis camionetas y metralletas por todos lados. O sí, salvo por las camionetas.

33

A VECES uno tiene ideas realmente imbéciles en momentos muy inapropiados. Justo cuando la cosa del mars estaba tomando tintes peligrosos, me puse a pensar en mí y Almendra como diseñadores del polvo. ¿Cómo sería nuestra vida si en verdad estuviésemos haciendo una nueva calabaza para fundirle los sesos a la ciudad? Lo único que se me ocurría es que habría un corrido sobre algún transporte de muchas toneladas de polvo. *Salieron de la San Rafa con dirección Coyoacán, traían los botes de rollos repletos, de polvo rojo, Eran el Joaco Papaquiiiii, y Almendra, la del 302.* La adaptación era muy mala, pero en mi cabeza sus mechas le hacían juego perfecto a un sombrero texano y sus piernas terminaban en unas botas polvosas. Sentía que el agua del mars todavía no me llegaba al cuello, por eso mi cabeza, llena de confort, se distraía con estos sueños mal producidos. Faltaban un puñadito de días para que, entonces sí, todas estas tonterías del corrido del mars y lo bien que estábamos controlando las cosas se volvieran lumbre.

34

Los papás nos quieren blindar contra aquello que creen que nuestra mente de chimpancé no puede resolver. Está bien. Es su papel y se lo toman muy en serio. El nuestro es desafiar la autoridad, meternos en problemas complejos pero de soluciones sencillas y estudiar como si mañana pagaran por ver quién sabe más de geometría analítica.

Pero a veces el mundo no es tan fácil de blindar, o no es posible ponerse lentes muy oscuros para no ver lo que pasa. Mamá estaba muy preocupada por todo esto del mars: ya se habían detectado algunos casos de sobredosis en la ciudad. Aparentemente quienes se metían mars junto con wasp acababan en el hospital indefectiblemente diciendo que Chabelo había muerto hace años y su cyborg quería derrocar al gobierno.

Trataba de hacerme ver los peligros de las drogas, como siempre trató, incluso cuando papá estaba aquí. La cosa es que te dicen todo eso como si fueses ajeno al mundo, como si no pusieran a la hora del desayuno las noticias, como si no hubiese conciertos donde todo mundo se las ingenia para meter tanarita y fumar hasta que acabe el ruidero. Quieren que la palabra droga no se mencione nunca en casa y que uno se la pase tomando Boing hasta que tenga tres hijos y sea gerente de banco. Pero el mundo tiene drogas. Un montón. No es que el mundo se enorgullezca de eso, pero las tiene. Corren camiones y vuelan aviones llenos de paquetes de pastillas y de wasp y de aspirinas. ¿O qué es lo que transportan esos hombres de los cárteles, mamá? ¿Jitomates?

Para entender un problema es preciso reconocer que existe. Alguna vez papá me llamó al taller para platicar un rato. Me preguntó si me gustaba el hip-hop, porque el hijo de un amigo suyo era rapero y supuestamente era muy bueno. Después sacó de su maleta, como si nada, un cigarro de tanarita. ¿Sabía lo que era? Sí, papá. Bueno, pero ¿sabía lo que le pasaba a mi cabeza después de un rato? No, la verdad no. Pues aquí está, y no solo aquí sino en la calle. Fácilmente podrías conseguirla sin que yo me diera cuenta, Joaco. Y cuando me dé cuenta, si es que lo haces, puede que ya estés metido en cosas más gruesas y nos cueste trabajo sacarte. No quiero que lo hagas, pero si te lo prohíbo vas a querer brincarte la cerca tan pronto como me dé la vuelta. ¿Había oído hablar de una cosa que le llaman *target fixation*? No, papá. Bueno, ese era tema de otro día; si lo que quieres es saber qué se siente, cierra la puerta y hazlo aquí, donde te veo, donde no puedes hacerte daño ni te van a quitar el celular. Conmigo, que no te estoy vendiendo nada y que te pido que te dediques a ser lo mejor que puedas sin distracciones como esta.

Me quedé mirando largo rato ese cigarro. La mano de papá era gruesa y la luz del taller apenas alumbraba su cara, seria pero confiable. Gracias, pa'. Como consejo, aunque le tengamos mucho aprecio a Gabo, no vayas a intentar el mismo ejercicio con él. Si le dice a su mamá, se nos puede armar un desmadre, por muy buenas intenciones que tengamos.

La tarde siguiente subí al taller de papá. Él ya se había ido al norte. Revisé la mesa y unas cajas encima de ella. Abrí el segundo cajón y había una nota de él: "No iba a dejarte la tentación en la mesa. No te me descarriles, cabroncito". Lo que no sabía al escribir la nota fue que yo sabía que la había guardado en otro lado. Cuando metió la mano en la bolsa de su chamarra para sacar la tanarita y tirarla a la basura, encontró otra nota. "Me subestimas, jefe. Como subestimaron a los New Radicals en su momento. No te preocupes. El cigarrito aquel tuvo su funeral inmediato en la taza del baño."

35

El cigarro es un invento pensado para gente sin personalidad. Solo en un segundo momento es una necesidad. ¿Hablas poco, te sabes chistes muy malos, tu nariz no corresponde al estereotipo de belleza esperado en tu escuela? Pues échate un tabaco. Papá fumaba una que otra vez en la covacha de la azotea, pero no quería impresionar a nadie. Cuando llegaba a subir para hablar con él, escondía el cenicero y abría las dos ventanitas de la covacha, casi siempre cerradas para asegurar la oscuridad. Otra vez: es un concepto esto del cigarrro. Se supone que las cigarreras, en un inicio, les pagaron a un montón de directores de Hollywood para que sus protagonistas aparecieran en diálogos súper mamones fumando un cigarro. La línea causal es que tú ves a James Dean o a Pedrito Fernández hablándole de cosas profundísimas a una chica en un callejón medio mugroso. A mitad de la frase, ¡plat! Saca una cajetilla con toda la actitud del mundo; luego, unos cerillos. Enciende uno, ya con un cigarro suspendido en la boca. Le da un jalón al tabaco y hace ojitos de que está pensando algo muy trascendental. La escena no tiene desperdicio. Lógicamente, avienta el cigarro a medio fumar, le da un beso a la chica y uno desea sobre todas las cosas tener un cigarro y ser James Dean. (Olvidémonos de Pedrito Fernández.)

36

EL DÍA antes de que todo se fuera al carajo fue uno de los mejores de mi vida. Fui por Almendra a su escuela. Me aguantaba la pena que sentía cuando sus amigas me veían esperarla. Creo que cuando te gusta una chica, para todas las demás se te enciende por encima de la cabeza un letrerito: "Miren a este imbécil".

Pero Rita valía la pena siempre. Salía con su mochila negra y mucha sed cada que iba por ella. Caminábamos a nuestro rumbo y comprábamos una cerveza para los dos. A ella le gustaba Victoria. A mí me gustaba nada más que estaba fría, pero todavía faltaban unos años para que le agarrara gusto real a la cerveza.

Hoy no tenemos que rellenar ningún bote ni grabar ningún video, ¿verdad, Joaco? Pues no. Los videos se mueven solos y creo que todavía tienes tú un par de frascos de polvo. Vamos a mi casa, entonces. Siempre supe dónde vivía y la había acompañado hasta la puerta del departamento varias veces, pero nadie de nosotros había entrado a su casa.

Me sentí nervioso y especial a la vez. Le dije que sí de inmediato. Su papá era chef. De acuerdo con el prejuicio, uno espera que en la casa de alguien así el refri esté lleno de pato a las mil y una hierbas, empanadas megabuenas, o mínimo un montón de platos de club sándwich. No estaba vacío pero era como cualquier otro. Zanahorias, cebollas y calabazas. Almendra me puso a picar algunas cosas y después ella hizo unos tres o cuatro platos, todos sin carne, que sabían muy bien.

Su papá tenía jornadas muy duras en el restaurante. Desayunaba con Rita a las siete y después llegaba de lunes a sábado a las once de la noche. La sala estaba bien: tenía una televisión grande y un montón de películas de Robert de Niro en DVD. En un pared había un reloj, y en las demás, rompecabezas enmarcados. De niña los armaba con su papá, pero hacía tiempo que un *Guernica* sin terminar los esperaba para cuando tuvieran un rato libre.

Hablábamos de la escuela y de cómo no teníamos ni idea de lo que se iba a tratar lo que fuera que escogiéramos en la universidad. Ella había escogido el área de humanidades, y yo de las físico-matemáticas. Ella pensaba que solo un loco se metía a estudiar números por gusto. Empezamos a platicar de música y me invitó a su cuarto. El estéreo parecía un altar imponente al centro de la recámara. Era uno de esos japoneses que armas a tu gusto, con tornamesa, cables, botones y entradas, además de unas bocinas no muy llamativas pero grandes.

Puso una canción de Jamiroquai y me preguntó si la conocía. "Space cowboy" es una de mis canciones favoritas. Empecé a cantarla y ella sonrió bailando frente a sus bocinas. Parecía la ceremonia de una secta extraña que veneraba los aparatos de sonido japoneses y les ofrecía dosis muy potentes de buena música acompañada de una danza ceremonial de sus fieles. Las velas eran los botones del aparato y yo miraba a la sacerdotisa con sus mechas en el trance del funk ácido.

La ceremonia siguió con los demás temas del disco. Yo bailaba detrás de ella y empecé a citar los princpiales enunciados de mi teoría de la subestimación de los sencillos. No había acabado la segunda frase cuando Almendra volteó y me sembró un beso como si me diera la bendición en esa creencia sonora. No tuve tiempo de ponerme nervioso. Lo que empezó como un toque de labios pasó después a la liturgia del beso más largo del mundo. Cerré los ojos pero sentía sus mechas quemándome las manos, que sujetaban sus hombros como si fuesen la barda del cielo.

Un montón de cosas van a cambiar bien pronto, Joaco. Igual y quedan muy lejos nuestras escuelas. Quién sabe dónde vayan a aceptar a Gabo y a los demás. Está bien que las cosas cambien. No es que haya que quedarse para siempre en la prepa, pero ojalá que cuando todo cambie no me quedes muy lejos, y que siempre pueda encontrarte en la covacha. Yo no sabía todo lo que había que cambiar. Me bastaba saber que quería estar cerca de Almendra hasta que se le acabara la pila al mundo.

37

CLARO, también hay conceptos muy buenos. No nada más con cigarros te puedes hacer de una personalidad. Tampoco es que todos los conceptos sean malos porque uno los imita. Papá era un concepto. Irremediablemente, dice mamá, heredé su manera de hablar y su caminar despacito. No sé si eso le gustaba o no, pero el concepto de papá había funcionado con mamá.

Hay unos más legendarios, aunque no existan del todo. ¿Star Wars? Concepto. Hay los fans más mensos que ven en Luke Skywalker a su máxima inspiración, cuando en realidad, ese muchachito tan parecido a Luis Miguel, falla más espadazos que nadie. Además, uno se entera con buen tiempo en la historia de que la chica de las películas es su hermana. Cuando acaba toda la serie, a uno le vienen preguntas sobre por qué se pasaba tanto tiempo Luke con el maestro Yoda en el pantano aquel. Dicen otros que vive en una cabañita con un ewok que lo trata muy bien.

También es muy fácil escoger a Darth Vader. Pues claro. Lo tiene casi todo. Parece un robot, con traje y botas negras. Tiene hasta su capita negra y un casco que lo hace ver más como máquina de la muerte. Puede destapar cervezas con la fuerza y estrangular a cualquier blandengue. De paso, se construyó una estrella de la muerte que ya quisiera tener cualquier marcianito.

Pero el bueno de la película es Han Solo. No nada más por el chalequito, sino por el concepto. Darth Vader tiene el concepto de caminar con la musiquita fúnebre ahorcando gente, pero Han Solo es el mercenario megahéroe bien peinadito, superbueno para los disparos y sobreviviente de varios intentos de asesinato a manos de cazafortunas pasados de lanza.

Han Solo no fumaba. Y también tenía una especie de Gabriel, que era Chewbacca. La diferencia es que Chewie es un wookie rompemadres que siempre trae una metralleta en la mano y Gabo es una de las personas que en su vida se verá involucrada en una pelea, mucho menos en un asunto de armas espaciales.

38

LA MAÑANA siguiente se llevaron a Gabriel. Lo esperaba como todas las mañanas en la esquina de la prepa para entrar juntos y platicar un rato. No llegó. Le mandé un par de mensajes y no contestó. Entré a las primeras dos clases y se me hizo raro que hubiera faltado. Le escribí a Rulo para preguntarle si estaba enfermo y me dijo que lo vio salir de la casa a la prepa temprano. Los dos comenzamos a marcar a su teléfono hasta que dejó de entrar la llamada cuando lo apagaron.

No sé en qué punto empiezas a pensar que te desaparecieron a alguien, que no está ilocalizable por su voluntad. A nosotros, a Rita y a mí, nos llegaron mensajes de texto muy claros. No estaba perdido ni enfermo. Sabían quiénes eran Gabriel Reyes y Raúl Reyes. Sabían dónde vivían, dónde ponían el mars en la cancha y cuánta gente le había entrado. Los mensajes no tenían error en el contenido. Uno venía bien dirigido a Almendra Caleta y otro a Joaquín Papaqui. No eran policías, aunque pareciera.

Nos juntamos una hora antes de la salida Almendra y yo, asustados. No podía ser una broma, no una tan pesada. ¿Quién podía saber del mars aparte de Rulo y los jinos a los que les regalábamos el polvo? ¿Por qué serían ellos los que se llevaban a Gabo si los teníamos en paz surtiéndoles casi siempre? ¿Y por qué a Gabo y no a Rulo o a mí?

Almendra no dudó un momento en contestarles. ¿Qué quieren? ¿Dónde está Gabriel? Queremos el mars. Gabriel está aquí. No tuvieron reparos en decirnos quiénes eran ni en esconderse. ¿Se acuerdan de todos esos correos que mandamos a todas las direcciones que crearon en internet? Un grupo de diseñadores de Ámsterdam interesados en compartir conocimiento y experiencias sobre sustancias visuales. Nos cansamos de esperar su respuesta. Vinimos a buscarlos.

Llamamos a Rulo y le contamos lo que pasaba. ¿Por qué chingados no les contestaron? Lo que fuera. Ahorita no, gracias. Será dirigido con el responsable, o algo, par de pendejos. Por su culpa me robaron a mi hermano. Al pinche Gabo, que no sabe ni meter las manos. ¿Ahora qué hacemos? Rulo no iba a diseñar el plan de acción, pero al menos nos hacía sentir menos solos en esto.

Después de enviar varios correos electrónicos interesadísimos y no recibir respuesta, los holandeses se pusieron radicales. Todo pasó en poco tiempo. Rulo le dijo a su mamá que Gabriel se había tenido que ir de rápido a unas prácticas de la escuela, pero era un tarado olvidadizo y se le había escapado avisarle. Su mamá, cansada y metida en el trabajo, lo creyó. Rulo quería matarnos pero también escondía, detrás de su batería de groserías y maldiciones a los holandeses, al mars y a nosotros, bastante miedo. Nos pusimos a pensar cómo encontrarlo, pero no era tan necesario.

Ellos nos encontraron. Nos habían estudiado algunos días y teníamos lo que estaban buscando, o eso creían. Sabían dónde estábamos. Nos pidieron vernos esa misma noche. Querían el mars, la fórmula y que nos calláramos la boca cuando lo tuvieran todo, bajo la amenaza de no volver a ver jamás a Gabriel.

Nadie sabía qué carajo hacer. Podíamos darles todo el polvo que quedaba, sin problemas. Pero ¿de qué fórmula hablaban? Rulo estaba muy tenso. Lo vi todo un fin de semana fumando cuando pensaba, cuando mentaba madres, cuando intentaba resolver y también cuando trataba de comer sabiendo que unos locos holandeses tenían a su hermano.

Almendra y yo nos sentíamos los más culpables del mundo, como si hubiéramos vendido a Gabo como un pingüinito para que fuera chofer de limusina toda su vida. Todo eso me frustraba y me daba mucho miedo. Por un lado, porque se habían llevado a mi amigo. Por el lado más egoísta, esta bomba que se había hecho la historia del mars decidía explotar justo cuando Almendra y yo comenzábamos algo, lo que fuera.

39

El SEMESTRE siguiente entraríamos a la universidad. Eso o en las marchas de los que no fueron admitidos. Todo lo que pasaba con el mars corrió paralelamente a esa etapa turbulenta en la que los más adultos esperan que agarres forma como si nada y en cinco segundos. Quieren que dejes de ser un vago o, al menos, un disperso, y te perfiles como flecha hacia lo que te vas a dedicar toda tu vida.

Claro, no te dicen que ellos tampoco estaban seguros de qué querían hacer con su vida. Prueba de ello es cuán distinto es el trabajo en el que acabaron del que esperaban o de lo que estudiaron. Papá estudió sistemas computacionales. No sé qué tenía en la cabeza, pero le apasionaba la programación de esas computadoras que no eran ni a color y había que ordenarles todo con el teclado. Ni soñar con el *Age of Empires*. Después de trabajar un tiempo en una compañía de seguros, se aburrió y entró a trabajar al negocio de un primo suyo que se dedicaba a reparar aparatos electrónicos. Un día le llegó una cámara que se había caído al lodo. La traía un alemán, decía papá con tono ceremonioso cada vez que contaba la historia, como si eso mejorara cien veces la cámara. Estaba casi seguro de que el aparato no volvería a funcionar. Con toda la calma del mundo la desarmó, limpió cada piececita del equipo con pinceles apenas humedecidos en alcohol, la rearmó, esperó a que se secara y le volvió a poner pilas. Esa excelentísima cámara estaba como nueva, de no ser por una cuarteadura en la parte inferior, que papá nunca quiso maquillar para exhibirla como una herida de guerra.

Papá estaba muy contento por cobrar la reparación pero todavía más por ver la reacción del alemán al encontrarse con su equipo restaurado. Pasaron dos semanas en las que no se apareció. Papá la probaba unos minutos para cerciorarse de que funcionara bien cuando su dueño viniera. Con esa intuición que tenía para las máquinas, probaba botones y exposiciones. No pasó mucho tiempo para que supiera qué hacía cada cosa, una virtud muy grande en tiempos donde no le entendemos ni al tostador. Pero el alemán nunca regresó. Cuando papá marcó el número que dejaron en la nota, la dueña de las suites donde se hospedaba el alemán le dijo que se había marchado una semana antes con mucha urgencia. Papá estaba seguro de que había vuelto cuando tiraron el muro de Berlín.

Así la historia de la primera cámara de papá. ¿Cómo llegó con ella al desierto o por qué se especializó en fotos de plantas peludas y espinosas? Tampoco tengo su biografía en video. El punto es que, por muy obstinado que seas respecto de algo, puedes acabar en algo completamente distinto. ¿Crees que Neil Armstrong se imaginaba que iba a pisar la Luna cuando era niño? (Me gusta pensar que, en su caso, sí.)

40

Nos separamos un rato para comer algo. Almendra y yo subimos a la covacha, como habíamos subido los últimos días a reírnos de nada, a platicar de los discos nuevos, a besarnos como si se fuera a acabar el mundo en esa azotea. Pero esta vez subimos serios, preocupados por Gabo. ¿Y si ya no lo volvíamos a ver? La pregunta partió el cuarto y mi cabeza como un sable de película japonesa. Sentí casi lo mismo que cuando mamá me avisó de la muerte de papá. ¿Qué pasaría si Gabo se convertía en una pieza más que les arrancaban a mis días? ¿Qué le diríamos a su mamá? ¿Había tenido sentido inventar la historia del mars? Tal vez les habría ido menos mal si hubieran probado la jina. Igual y ni les habría gustado. En cualquier caso, nadie se habría llevado a Gabo.

Necesitábamos aliados si queríamos tratar de devolver a Gabriel. Citamos a Rulo en mi casa, subimos a la covacha y le contamos la verdad. Como era de esperarse, pasó por una etapa de negar que había sido engañado. Decía que no había manera alguna de que nosotros inventáramos el mars. Costó mucho más trabajo convencerlo de que no se trataba de ninguna droga que hacerle creer que esa montañita de basura era polvo del espacio exterior.

Estás loco, Joaco. Hay videos, y son de todo el mundo. Reconocimos que fue una consecuencia no planeada. Le mostramos los que nosotros hicimos y cómo fueron hechos. Mostramos directo en sus ojos la montaña de Mars arrumbada en la covacha. Almendra admitió que se inventó en un momento el proceso del pan y que todavía no teníamos idea de por qué cada vez se formaba una figura distinta.

Desesperado por tratar de rescatar a Gabo, empezó a ceder. Cuando pasó de la negación al reconocimiento, su confusión se transformó en odio hacia nosotros. Tenía toda la razón. Las acusaciones de Rulo eran implacables. Por una idiotez nuestra su hermano había desaparecido. Creímos que éramos más responsables y maduros que todos como para decidir que era mejor inventar un placebo que acabó haciéndose leyenda, causando todos los problemas. ¿Quiénes éramos nosotros para juzgar si lo de la jina iba a parar ahí o no? Y mentimos. Ingeniosamente, con un montón de blogs y videos, con un polvo rojizo puesto sobre un par de panes y sometido a bajos muy potentes. Mentimos, durante largo rato, sobre cosas muy serias, a nuestros mejores amigos, y eso había causado la desaparición de uno de ellos. La cosa ya estaba tan jodida como podía estarlo.

Rulo nos odió desde el momento mismo en que le entró en la cabeza que el mars era pura basura. Lo habíamos evidenciado como un borrego que inventaba por sentirse rudo, popular, menos aburrido. De paso nos habíamos echado de enemigos a un trío de holandeses muy concentrados en el negocio de diseñar y vender calabaza y que no devolverían a Gabriel hasta que les entregáramos la fórmula.

41

ENTONCES, me está diciendo usted, señor don orientador vocacional, que dependiendo de cómo termine yo llenando esta serie de reactivos del uno al doscientos ochenta y tres me va usted a aconsejar hacia dónde debo dirigir mis esfuerzos, dadas mis capacidadaes embarradas en ese examensucho, para ser feliz en el futuro. ¿Y qué resultado le salió a usted en esta prueba para acabar en un lugar como este?

Subestimar a la gente no solo es una falta de educación, sino también un error que puede resultar caro. Piensas que el que se sienta detrás de ti es un bobo inofensivo y, cuando se revienta un sonorísimo pedo en plena clase, actúa más rápido que tú: te culpa, se ríe, se tapa la nariz y te convierte en Joaquín Pedoqui por el resto de la primaria.

Pero sobrestimarla es igual de grave. Esperan que tú, que te cuesta mucho trabajo saber si vas a rentar el juego de Batman o el de futbol para el Playstation y que no tienes idea de cómo funcionan los partidos, candidatos y elecciones ni siquiera en tu colonia, tengas el poder, la gana y la responsabilidad de elegir al presidente. Estamos locos si esperamos buenos resultados de ahí. Como también es una locura pensar que una prueba a la que tal vez fuiste desvelado o atontado te va a decir exactamenta hacia qué bloque se orienta tu cabeza. Como si, al salir bien para las áreas de humanidades te estuvieran diciendo que un gorila puede hacer sumas en menor tiempo que tú. ¿No hay una carrera de catador de sencillos de bandas contemporáneas? ¿O de especialista en escuchar lo mejor de la música en la cúspide de la creación del artista? No. Todo tiene que ser panadero, médico, ingeniero en electrónica y telecomunicaciones, diseñador gráfico. Y encima quieren que nos sintamos especiales.

¿Quién diseñó un sistema tan cuadrado que manda a tantos a estudiar por un buen tiempo cosas superespecíficas que posiblemente no querían estudiar, y los hace terminar en un trabajo en el que esas cosas superespecíficas no aplican mucho? Seguro que ese mequetrefe reprobó este examen.

42

PESE a todo, a Rulo no le quedaba de otra más que trabajar con nosotros. No soportaba la idea de saber a su hermano desaparecido más de unas horas, y ya llevaba un día. Me miró con todo el desprecio con el que un amigo puede mirar a otro. Bueno, ahora ¿qué hacemos? No habíamos diseñado nada ni teníamos idea de cómo describir siquiera el mars, más allá de un polvito rojizo frío que reacciona cuando le pones a Gnarls Barkley, y cuyos efectos son más bien inventados. De ahí a establecer una fórmula para su creación, estábamos muy lejos.

Acordamos que el plan menos chafa era decir la verdad y llevarles todo el polvo que teníamos. Decir la verdad implicaba hacerles ver que habían venido hasta aquí y se habían llevado a nuestro amigo nada más por un polvo que solo hacía figuras sobre el pan Bimbo. Jodido, sí, pero al menos era un plan que evitaba que Rulo nos repitiera que éramos los idiotas más grandes del mundo.

Nos citaron a la una de la mañana del sábado en un edificio de la Condesa, muy cerca del parque México. Fuimos los tres. Llevábamos en la mochila treinta y siete botes de rollo fotográfico retacados de mars. Los holandeses nos recibieron en el roof garden: una azotea remodelada, llena de plantas raras, con sillas de playa y mesitas con vasos y botellas. Ninguno de los tres pasaba de los treinta y cinco.

Todos llevaban un pants negro, una gorra morada y una playera con el mensaje "I'm with stupid" y una flecha hacia la izquierda.

Sonrieron al vernos. De no ser por el hecho de que habían desaparecido a Gabo, me habrían parecido buena onda. Nos ofrecieron una cerveza. No aceptamos. Pidieron que nos sentáramos y, en un español sorprendentemente bueno para un holandés, comenzaron a interrogarnos. ¿Cómo se les ocurrió lo del mars? ¿Es cierto que es una mezcla de humo de jina con tres cuartas partes de wasp congelado? No teníamos idea de qué responder. Rulo lo pensó muy poco y se entregó.

No es una droga, pinches intensos. Este par de idiotas que tengo al lado se inventaron la historia del mars porque nosotros queríamos probar la jina. Agarrraron un polvo que había regado en su azotea y le hicieron creer a todo el mundo que era una cosa nueva y muy potente. Los holandeses sonrieron y les dieron un trago a sus martinis. Es mentira. Hemos visto los videos, leímos cada blog y sabemos que ustedes lo tienen y es real. No somos nuevos en esto. Tenemos un laboratorio donde experimentamos con sustancias visuales desde hace diez años, pero todavía no hemos llegado a resultados tan buenos como el mars.

Uno de ellos se levantó y arrastró un carrito hasta nosotros. Acercó un muy buen estéreo, o al menos eso dijo Almendra, y unos diez platos de vidrio con polvos y líquidos encima. Encendió el estéreo y comenzó a sonar algo de psycho que ninguno de nosotros conocía. Un ritmo electrónico muy dinámico, medio histérico, con bajos duros y continuos. El segundo holandés se levantó y comenzó a poner los platos transparentes encima de las bocinas, que eran unos cajones de madera muy bonita. Cada plato tenía una bocina volteada mirando hacia arriba para la prueba.

Los polvos verdes, que estaban en tres platos distintos, vibraban rápidamente y se formaba una especie de greca cuadrada en el plato. Los líquidos rosas y morados vibraban y se repartían en todo el plato como una tortilla grande y borrosa por la vibración tan rápida. Rulo, Almendra y yo, sentados, mirando. Almendra sostenía en sus rodillas la mochila con el mars. La música se detuvo. Tenemos todos estos experimentos y hemos probado con muchas frecuencias y muchas canciones, pero después de la excitación de los materiales, no teníamos muy claro con qué seguir, hasta ahora. Ninguno rio cuando dijeron que sus polvos y líquidos se excitaban. Nada, miren. El primer holandés sacó de su bolsa una jeringa, jaló con mucha habilidad el líquido rosa, que seguía vibrando incluso sin música —y que aún vibraba en el tubo de la jeringa— para clavarse la aguja directamente en el antebrazo. Sin agitarse mucho, sin parpadear, sin emoción. No pasa nada. Él mismo tomó otro plato, ahora con polvo verde, sacó una tarjeta de banco, acomodó el polvo en una línea y lo aspiró al segundo siguiente. Sonrió. Se le veía una ligera mancha verde bajo la nariz. Nada. No siento nada. Vació un poco de su copa de martini en otro plato con polvo. Lo revolvió con el dedo índice y se lo bebió. Nada. Se quitó los tenis junto con los calcetines, tomó un polvo azul del último plato y se lo untó debajo de los últimos dos dedos del pie. Nos mostró y repitió. Ninguno sirve.

Hasta que ustedes lograron una que sirve, y solo basta verla. Los lentes oscuros del primer holandés que nos hablaba dejaron entrever unas pupilas emocionadas y grandes. Sí se siente algo con todas estas cosas, pero lo de ustedes parece mucho mejor.

Rulo los miraba como si fueran extraterrestres. Almendra tenía una mirada valiente, y yo no sabía de dónde sacaba coraje para plantarles una sonrisa tranquila mientras nos explicaban todo eso. Seguramente yo me veía un poco asustado. Bajaba la mirada cada que los lentes oscuros de alguno de los tres apuntaba hacia mí. Entendimos que no solo eran disciplinados en sus experimentos, sino también muy tercos.

El mars no hace nada. Que te lo enseñe Joaquín. Rulo señaló la mochila en las piernas de Rita. Pierden su tiempo, así que devuélvanme a mi hermano. Este par de bestias hicieron los videos que ustedes checaron pero no tenemos ni la más mínima idea de cómo se hace una droga.

Muéstrame. El segundo holandés ya había vuelto a sentarse en su silla playera. Almendra siempre ha tenido la mente más rápida de todos nosotros. Entendió que si les dábamos un placebo nos iban a dar un placebo de Gabo. Oquéi. Rita se levantó y abrió la mochila. No sabemos cómo se fabrica el polvo pero sí cómo se prepara. Rulo la veía como pensando Órale, sí que tiene huevos esta morra. Yo seguía petrificado como un pelmazo.

Para empezar, amigos, el vidrio de sus platitos se ve muy bien sobre las bocinas pero no sirve un carajo para transmitir las frecuencias. Tú, consígueme dos rebanadas frescas de pan Bimbo blanco. ¿Entendiste? Blanco. No integral, no multigrano, no de linaza. Corre. El holandés número tres se sorprendió un poco ante la voz de mando de Rita. Los otros dos movieron la cabeza indicándole que obedeciera. Se acomodó la gorra y bajó las escaleras.

Ahora bien. Yo sé que Ámsterdam es la cuna del electro y todas esas bobadas, pero a los polvos no les sirve la basura de psycho que les pusieron ustedes. Hazme un favor. Bájate el álbum completo de Gnarls Barkley y tráete un disco con la canción Crazy en la mejor calidad posible. Wav, no mp3. No una USB, no un disco duro, no tu iPod. Un disco, bien grabado. ¿Crees poder? El holandés dos se encogió de hombros, asintió de buena gana y bajó las escaleras. Cuando estaba desapareciendo por los escalones, Almendra le pidió también papel aluminio. Con un cachito basta. Tampoco te traigas un rollo.

Así que la clave es poner rock. ¿No entiendes nada? Bueno, primero hay que ser muy cerrado para decir que Gnarls Barkley es rock. Es tan estúpido como decir que Mozart y Haydn y Bach y Mahler son música clásica. No es así de sencillo. Es la ecualización, los golpes de bombo, el aluminio. No me extraña que se hayan metido sus polvos hasta en la cola sin tener resultados. El holandés número uno, ya solo, se terminaba su martini con tragos nerviosos.

Pasaron diez minutos en los que Almendra se la pasó explicándole al holandés de qué sitios descargar música en la mejor calidad posible, y por qué era un pecado capital decirles *rock* a una montaña de géneros. Al cabo de un rato subieron los dos mandaderos con el pan, el disco y el aluminio. Fíjense bien, amigos, no repito. Bonito estéreo, por cierto. Almendra movía las perillas plateadas y bien formadas del aparato como si fuesen una extensión de su cuerpo. Sus mechas californianas bailaban el vals del dominio y nos limitábamos a mirarla, como si ella misma fuera el mars acomodándose y entrando en nuestros ojos.

Subió todos los graves, dejó en un grado los medios y canceló las frecuencias agudas. Puso con cuidado el disco recién grabado. Los tres holandeses miraban curiosos, con la boca un poco abierta, ajustando sus lentes sin perder detalle. Almendra acomodó un pan sobre el otro. Nunca como un sándwich. Es el error más común. Sacó de la mochila un bote oscuro y vació todo el polvo en los panes. Era una dosis mucho mayor a la de costumbre. Envolvió los panes y el polvo con papel aluminio. Nos echó una mirada de Todo va a estar bien, niñitos cobardes. Cuatro golpes de bombo y empezaba el más grave de los Barkley su sencillo más popular.

Desenvolvió los panes y alzó su creación como si sacara un conejo del sombrero del infierno. Esta vez no había círculos perfectos ni líneas como murallas en el suelo del pan. Almendra bajó la mano a la altura de los ojos de todos. Habría imaginado a la *Gioconda* en traje de baño sobre el pan antes de lo que vi. Con el mars como un polvo superafilado, brillante y más rojo que nunca distinguí la palabra *ahora.*

Tal vez fue la sorpresa de lo que estaba escrito con polvo, o los ojos desorbitados de Rita al mirar algo que de ningún modo pudo haber trucado, pero todos nos quedamos mirando el mars por un rato. ¿*Ahora* qué? ¿Cómo carajo hizo Rita para escribir en el polvo sin que la viéramos y cómo hizo que le creyeran? ¿O quién intentaba mandarnos un mensaje justo cuando nos cargaba la mierda con los holandeses?

Se quitaron despacio los lentes de sol. Descubrieron sus ojos azules muy irritados por fumar y untarse hasta comida de gato. Asentían como zombis. Es *esto,* decía uno, luego el otro y luego el otro. Lo siento en los ojos. Es mars. Es mars. Pero el mars no era nada. Yo sabía que no era nada, pensaba que no era nada.

Hacía más frío que otras veces. El silencio se rompió de tajo con la voz de Rulo. Claro que eso es mars, pero no sirve para nada. Ya les dimos su polvo, ahora devuélvanme a mi hermano. Los holandeses seguían ensimismados mirando. También Almendra.

Pasaron cerca de cinco minutos hasta que los holandeses volvieron de su trance. Se miraban entre ellos diciendo frases en neerlandés, y aunque no entendíamos, sabíamos que estaban felices. Es lo que prometían los videos. Ahora sabemos preparar las dosis. ¿Cuánto más tienen? Suficiente para que me regreses a mi hermano, güero cabrón. Rulo no estaba envalentonado pero sí quería ver que Gabo estuviera por lo menos cerca de esa azotea.

Almendra volvió a la mochila, hizo a un lado las copas de martini y con toda calma sacó treinta y cinco botes negros bien cargados de mars. Al trío de holandeses les costaba trabajo ocultar su ansiedad por llevárselos al otro lado del mar. Se los regalamos. A nosotros ya no nos interesan. Muchas gracias, amigo, pero con estas dosis solo puedo prestarte a tu hermano un par de semanas. ¡Pinches locos, suelten a Gabriel! ¡Les voy a poner la madriza de su vida!

Quieren la fórmula, pero no la tenemos. Almendra se puso seria. Encontramos el polvo en casa de Joaco y lo tomamos como estaba. Podemos ir y buscar más pero les juro que trajimos todo lo que había. Por favor, regresen a Gabo.

Gabo vuelve con su fórmula. Ustedes pueden preparar todo el mars que quieran en México. Y Gabo puede ayudarles, pero nosotros necesitamos que nos ayuden. Había sido una estatua todo este tiempo, y recordé los ojos de Gabo la primera vez que preparamos el mars, y la segunda. La distancia que él ponía al sentirme un extraño, al verme hacer estupideces que no me conocía. En todo este tiempo no le hice ver que inventé una historia para proteger a su hermano y a todos, menos a él.

43

EN MOMENTOS de presión o emergencia uno espera que la cabeza reaccione como cuando el Transportador le pone en su madre a toda la mafia de un país de Europa oriental sin bajarse de una Caribe maltratada. Por eso es tan común, y tan cabronamente molesto, que cuando alguien cuenta que le ocurrió una cosa súbita salgan los valientes del Hubieras corrido al metro, Le hubieras dicho que la neta no y que a ver qué hacía o, el más perro de todos, el de Yo sí le hubiera puesto en su madre y hasta le tumbaba una lana.

Pero no sucede así la mayoría de las veces, porque las cosas suelen ponerse súbitas cuando y porque no esperas que sucedan. Si ves que viene una espada filosísima hacia tu cara pero lenta como el desayuno, no estás realmente en una situación peligrosa. Entonces, no hace falta que alguien te acorrale con una bazuca para quitarte tu celular. Hace falta el buen uso de la sorpresa.

Lo mismo pasa con los sencillos. No se trata de tener a los ejecutantes de batería, guitarra y bajo más pesados de la historia. Basta encontrar esa mezcla de sonidos que le hacía falta al mundo y que no es tan compleja de tocar como lo es de encontrar. Un día eres un don nadie del que se espera que toque covers en la Zona Rosa hasta que la barba le salga gris, y al otro, bum, le pegas macizo y llenas el Auditorio Nacional. La sorpresa es un concepto, o puede ser.

44

EL HOLANDÉS tres, que no había estado haciendo nada interesante hasta el momento, le cambió el tono a la reunión cuando se levantó la camiseta blanca y sacó la primera pistola que vimos fuera de la televisión. Miren, hay un vuelo directo a Ámsterdam que sale en unas siete horas. Quiero subirme en ese avión, pero tal vez tenga que discutir antes algunos asuntos con Gabriel. ¿Les hace pensar un poco más en cómo hacer mars?

Se levantó, como si nada, puso en una coctelera de metal tres cubos de hielo y combinó tres botellas. Agitó su preparado y el sonido sin ritmo de los hielos rebotando era igual al de nuestros corazones latiendo en clave morse. En ese momento crujió mi querida Almendra. Comenzó a llorar como una lluvia muy ligera, pero se convirtió en tormenta en cosa de segundos. Con el llanto se le sacudían los hombros y la cabeza, y las mechas se movían en una danza fúnebre. No la tenemos. Entiende. Ya te dimos todo. Te dije cómo hacerlo, te enseñé el sonido y el arreglo. Déjennos en paz, se lo ruego.

El tercer holandés se había servido ya su trago. Arma en una mano y copa en la otra, bajó las escaleras. De verdad no tenemos idea de cómo se hace. Se lo diría si lo supiera. Rulo estaba desencajado, inmóvil. De pronto, una cabellera china subió las escaleras, y un Gabo tranquilo, como siempre ha sido, nos miró fijamente. Estoy bien. No pasa nada.

Tiene razón. Hasta ahora no pasó nada, decía el holandés número uno. Pero no falta nada para que pase todo, porque tus amigos no quieren decirnos cómo hacer el mars. ¿Joaco? ¿Estás confiando el diseño de tus nuevas drogas en Joaquín Papaqui, a quien ni siquiera le gusta el sabor de la cerveza? Almendra no dejaba de llorar. Pierden su tiempo. Si Joaco supiera cómo hacerlo, ya les habría dicho y estaríamos en su casa. Les juro que así estaba el polvo, como lo encontré. ¿No vas a decir, entonces, cómo lo hiciste ni de dónde salió? Perfecto. Después de todo, Gabriel, parece que a tu amigo solo le afecta el llanto de su novia.

De un empujón puso a Gabo de rodillas. Almendra gritó y no dejó de hacerlo por varios segundos. Rulo se abalanzó sobre los holandeses, pero entre dos lo sometieron. Yo seguía pidiendo que pararan todo, que no sabíamos nada. Rita mantuvo un grito fuerte e impotente por muchos segundos más. El holandés tres dejó la copa a un lado y preparó la pistola. Gabo me miraba con esos ojos de siempre, de Somos amigos, de A qué concierto toca ir mañana, pero también de No te salgas todavía, pásame tu examen, que se me está complicando; de veras que para la otra estudio más.

Ahora. Nadie tenía dudas de que Almendra sabía mucho de música, y que probablemente su conexión con los sonidos y consolas, archivos o bocinas era fuerte, pero nadie consideró que era, en la realidad, encabronadamente fuerte. Dado que todo este asunto del mars y los holandeses es inexplicable como un matrimonio de ornitorrincos, tampoco sabría explicar lo que pasó después.

Rita gritaba todavía, y sus mechas eran la cabellera de una medusa cuyas serpientes se unían al alarido desesperado. Todos volteamos a mirarla porque en verdad se trataba de un grito sólido ininterrumpido que no parecía que fuera a terminar pronto. La veíamos todos, menos el primer holandés, que volvió a mirar el mars. Otra vez. Está prendida de nuevo.

Como si fuera una fuente de chocolate, los tres holandeses rodearon el mars y se quedaron mirando. *Ahora* brillaba y comenzaba a ser intermitente, como si el pan y el polvo latieran. Gabo logró levantarse. Temblaba. Se veía muy afectado, y con razón: estuvieron a punto de dispararle. Rulo se acercó a él. Los demás mirábamos a los holandeses embobados con el pan. *Ahora* se veía rojo y luego naranja. De pronto todos mirábamos el *ahora.* No supimos en qué parte se detuvo el grito de Rita, que también miraba. Pude despegar los ojos un momento del polvo y vi a esos tres enfermos tan ensimismados, tan poseídos por quién sabe cuántas noches metiéndose calabaza.

Tuvimos en ese momento la primera y única alteración producida por el mars, o por el miedo. Y los holandeses podían haberse viajado por algún efecto secundario de una vida entera metiéndose cosas. No sé. Pero la azotea misma se transformó. Dejó de ser real para convertirse en otra. Los holandeses, extasiados, se tiraron en el suelo y miraban hacia todos lados. *Ahora* se hacía más y más polvo. Si el problema era la cantidad de mars, de pronto había para ponerle a cada pan Bimbo del mundo. Todo se llenaba de polvo: las plantas, las sillas playeras, el carrito y las bocinas. *Ahora* rojo por todas partes.

Un par de luces viejas se acercaban desde el fondo. El holandés número tres, con los ojos como globos sobreinflados dijo que olía a jina. Sentíamos frío. Todo estaba muy oscuro, salvo por aquellas luces. El sonido de motores raspaba el silencio del desierto. *Ahora* todo alrededor era arena, salvo por un camino oscuro de ida y otro de vuelta. El sonido de un estéreo apagado.

45

CLARO que lo extraño. Todo el tiempo. Subir a la covacha con Almendra era siempre la montaña rusa de emoción: estaba con ella, pero al subir las escaleras, siempre me visitaba el dolorcito de saber que nunca más estaría él ahí, concentrado en sus fotos o fumando un cigarro a escondidas.

Me habría sentido igual probablemente si le hubiera pasado un año después o cinco. Quién puede estar listo para cuando se vaya el jefe. Mamá lo sufrió mucho los primeros dos años. Fueron duros por la ausencia y también por el dinero. Además tenía el miedo de que yo resintiera tanto la muerte de papá que terminara en la vagancia plena o en cosas peores, incluso peores que el mars, que tanto le mortificaba.

La memoria también tiene mecanismos raros. No me acuerdo mucho de papá abrazándome. Y no es que no lo hiciera. Tú no eliges qué partes de lo que vives se te van a quedar para siempre anotadas en los ojos. Lo recuerdo cepillándoles la arena a sus cámaras durante horas el primer día de cuando volvía a casa. O con la boca cerrada y la lengua de fuera hacia arriba sosteniendo el mouse, como si fuese una posición que le hiciera concentrarse más.

Lo recuerdo manejando el cochecito rojo, hábil, preciso, mirándome de vez en cuando y enseñándome a cambiarle al radio. ¿Qué habría pensado del mars? ¿Tendría la misma manía de hacerse preguntas todo el tiempo?

46

AHORA se entendía perfecto en mi cabeza. Una vuelta muy cerrada en la carretera federal. Un olor denso de cinco fumadores de jina, llantas derrapando y luego fierro contra fierro. Una Ranger dando vueltas al lado del camino, sobre la arena, sobre el *ahora.* Una chatarra roja humeante, detenida en seco por el golpe. Nadie se mueve. El desierto se traga casi todo el ruido porque queda un llanto, pero no es Almendra la que llora. Me acerco a los restos del coche rojo. Crujen algunos fierros todavía. Pocos. Humo, de caucho y de fierros apretados. Hay alguien dentro, casi muerto. Habla, pero no conmigo. No entiendo nada de lo que dice, pero sé que es la última voz de papá.

Me acerco y no puedo dejar de llorar. Meto el brazo por un espacio entre la chatarra donde debía estar la ventanilla. Otro brazo por dentro me sujeta fuerte. Afloja los dedos de pronto y se convierte en *ahora.* Siento ese brazo convertirse en polvo.

Me pasé tanto tiempo tratando de encontrarle sentido. De construir, con ese sentido y esa razón una jaula por donde no se escapara ni una pluma del dolor que era perder a papá. Tantas noches pensando en que no debía haber ido a Pistolas Meneses, en que debía tener el estéreo prendido. En que la jina no debería existir en ninguna parte, en qué carajos iba a hacer sin él, en cómo acostumbrarme a que ya no iba a estar ahí nunca. Tanto tiempo queriéndole encontrar sentido se resumió en ese momento donde nada lo tenía. Fue cuando mi cabeza dejó ir para siempre esos intentos de explicar lo que pasó con papá. No fue una epifanía. Muy probablemente no haya venido a hablarme desde el más allá ni tampoco quedaba resuelta su ausencia, pero sabía que tenía que dejarlo pasar, así, como se esfuma el olor a jina. Aun si el *ahora* fue eso, algo borroso e improbable como el mars, casi siento que me hablaba, que me preguntaba por el disco de los New Radicals.

47

OJALÁ pudiera tocar la guitarra. Así me sentaría a tocar horas y horas un sencillo tras otro, y me visitarían en la covacha los Cardigans y Save Ferris, Sugar Ray y todos esos que ya no salen en la tele. Claro que hay sencillos más clásicos, como los Rolling o los Beatles. Y, si me apresuras, yo creo que también criticaban en su época a Vivaldi cuando se voló la barda con las cuatro estaciones.

Hey, Antonio. A mí no me engañas. Esa "Primavera" tiene todo lo de un sencillo. Y los envidiosos alrededor dirían que le faltaba virtuosismo o que no ocupaba tan elegantemente a su sección de cuerdas, que un trabajo tan ordinario y comercial se olvidaría seguro al año siguiente. Tal vez fue un *one hit wonder.* Tal vez nadie escuche ni una sola cosa más de Vivaldi, o al menos "Invierno" les parece un poco tenebrosa o aburrida, pero logró colgarle al planeta un sencillo cuando el *tátaratataratatarabuelo* del iPod touch ni siquiera era un prototipo.

Seguro que a los New Radicals les gusta Vivaldi. Y viceversa.

48

AHORA se fue yendo, poco a poco, junto con el frío. Todo siguió en silencio. En el desierto, tres holandeses se alejaban por las dunas, moviéndose cada vez menos, volviéndose tres cactus altos, oscuros como una foto de siluetas espinosas. Almendra me sonrió. No me tomó la mano, tampoco me besó en ese momento (más noche, sí). Negó suavemente con la cabeza y sus mechas cantaban un gospel que parecía decir Joaco, mi querido Joaco.

Bajamos las escaleras, todavía arrastrando el silencio del desierto. Salimos a la calle y regresamos a nuestra calle caminando. Eran casi las seis de la mañana de un sábado veraniego. Decimos muy poco, y apenas son despedidas y nos vemos al rato. Acompaño a Almendra a su puerta, a la vuelta de mi casa. Me da un beso, del que hablaba hace rato, no uno segundo, y con él se despide, llevándose sus mechas ya dormidas, en la incertidumbre de que quién sabe si estamos juntos o me vuelva a besar. Lo más seguro es que no haga falta pensar y planear tantas cosas en el perímetro tan cortito de un beso.

49

ESE verano fue de poco calor. "Rehab", de Amy Winehouse, pegó con tubo y Almendra me la grabó en un discazo que sonaba increíble en unos audífonos rojos que me regaló. El futuro, en ese verano, llegaba apenas al día siguiente por la noche cuando escuchábamos una banda en vivo.

Todos habíamos elegido. Rulo decía que de lo que eliges siempre salen cosas buenas y cosas malas como la chingada. Era su manera de intentar que no te preocuparas de más. Se suponía que sería un resto del año decisivo, ahora que Gabo tendría que arreglárselas solo para resolver sus exámenes y yo no estaría más con mi mejor amigo en la banca de al lado, pero no fue más que una etapa turbulenta, como lo son todas, en la que seguimos compartiendo dudas y trabajando en encontrarle gusto a la cerveza.

50

LA CIUDAD, internet, el futuro, el amor, un terabyte, las expectativas y todas esas cosas que no traen dibujito en Wikipedia son un poco como el mars. Muchas veces huelen frío y, según cómo las mires, puedes encerrarte en ellas o crecer en ellas o pasarles por encima. Les entiendes solo cuando sientes que te van a partir la cabeza en dos, y te acaban llenando el frasco de lo que a esta edad debería ser el alma.

También pueden ser caca, o nada en absoluto, o el amor de tu vida. ¿Te das cuenta de cómo basta poner dos de esas palabras sin dibujito en una misma frase para que no tengas idea de lo que estás hablando?

Casi todos necesitamos un placebo, un recuerdo, una carnada de esas que nos haga morder el anzuelo, nos lleve a tomar los riesgos necesarios, a embarrarle nuestras esperanzas al corazón de alguien más, a entender que alguna vez tendremos que dejar de ser *nosotros* para ser nosotros y reventarnos un sencillo que vuele cualquier bocina, incluidas las que no necesitan aire para sonar en el espacio.

51

Le regalé a Gabriel mis cámaras. Todas. Creo que papá habría hecho lo mismo. Probablemente habrían tenido una gran relación de maestro-alumno. Gabo y yo hablamos muy poco de papá. En cierto modo, y ante la falta del suyo, le tenía un afecto casi tan grande como el mío. Solo una vez, después de agarrarle el gusto a la cerveza de trigo, me dijo que a él también le hacía mucha falta el señor Papaqui. A Gabo, por lo pronto, lo aceptaron en la escuela de periodismo, y no tardó mucho en presentar en una galería su serie de retratos "Los jinetes de la jina".

Rulo, mi rústico e intempestivo Rulo, obstinado como siempre ha sido, mandó una colección de sus piezas de diseño propio a un instituto de ingeniería pasado de lanza en Alemania. Los conceptos de sus piezas tuvieron muy buen recibimiento y le ofrecieron una beca de investigación y desarrollo por tres años. Se va en dos semanas.

Cuídame mucho al Gabo, Joaco. Tiene el corazón muy suavecito y las manos muy lentas. Otra cosa. Me entero de cualquier otro inventito que tú y tu novia saquen y vengo a darte yo mismo la madriza de tu vida. Yo también te voy a echar de menos, Rulo. Cuando puedas, date una vuelta a Ámsterdam por todos nosotros.

Almendra va a comenzar el primer semestre de Etnomusicología el lunes que viene. Sus mechas ahora bailan dubstep mientras aún son vacaciones. Traté de no pensar mucho en eso pero quería medir qué tanto podía considerar que Almendra y yo estábamos juntos. Puse una escala de besos que iba desde el No te emociones, seguro se encuentra un músico hasta el Dónde firmo.

Me acompañó ayer a la Facultad de Ciencias. Creemos que no está muy lejos su escuela de la mía. Internet ya dejó atrás el mars. Era evidente que una serie de videos de zombis verdaderos jugando beisbol a las afueras de Moscú iba a desbancar cualquier otra cosa.

La ciudad también olvida rápido, pero no Almendra, que guardó un último botecito de Mars en la mochila aquella noche de la azotea de la Condesa. Quién sabe qué otras jinas toquen a la puerta pronto, y qué otros planetas, polvos y conceptos nos toque inventar. No sé siquiera si los inventemos juntos, sus mechas, Almendra y yo. *Target fixation,* te digo.

Sobre el autor

PEPE SÁNCHEZ creció con su hermano Luis viendo *Dragon Ball* —el bueno, donde todos se hacen güeros—, repeticiones de los *Cazafantasmas* y *los Caballeros del Zodiaco*. Toda esa cultura plástica, evidentemente, era bastante más atractiva que las encomiendas típicas de lectura en su escuela: libros de superación personal que lograrían a la perfección que cualquier niño les vomitara encima.

Casi veinte años después, el mismo Pepe, ávido consumidor de caricaturas repetidas, sin saber muy bien qué línea causal lo llevaría de una cosa a la otra, presentaría una obra que sería recomendada a jóvenes ávidos por vomitarle encima a cuanta historia se deje. Ganador del Premio Nacional de Cuento de Humor Negro José Ceballos Maldonado en 2013, del Premio La ciudad imaginada en 2011 y tercer lugar en el concurso de ensayo Los jóvenes y la política en 2006, convocado por la revista *Proceso*, tiene una veintena de trigésimos sextos lugares en otros certámenes de los cuales no se pavonea con tanto entusiasmo. Es colaborador en las secciones de opinión, literatura y música en la revista electrónica *Los Hijos de la Malinche*, ganadora del Premio Nacional de Comunicación José Pagés Llergo en 2012, donde desinteresada y objetivamente recomienda con ahínco escuchar a la banda en la que toca el saxofón, Disco Revólver.

Cuando se pone anteojos, es maestro en Políticas Públicas por el CIDE y profesor asociado a dicha institución, donde trabaja temas de planeación urbana y políticas de desarrollo en gobiernos locales. Vive en la ciudad de México con Fabiola Medina, prodigio de la naturaleza y de la corrección severísima de estilo, y su perro, Pulques.

La primavera del mars
se terminó de imprimir en septiembre de 2014
en Litográfica Ingramex, S. A. de C. V., Centeno núm. 162-1,
col. Granjas Esmeralda, c. p. 09810, México, D. F.
Para su composición se usaron
las fuentes Celeste y Eureka.